5 三國
西元220～264年

［注音本］

全新 吳姐姐講歷史故事

吳涵碧◎著

目錄

【第106篇】

不怕死的士大夫。

東漢從和帝以後，朝廷上形成一種很奇怪的局面，就是小皇帝即位，母后臨朝，重用娘家外戚。小皇帝長大了，結合宦官，除掉外戚；不久，皇帝去世，又一個小皇帝即位，再一次宦官外戚奪權，成爲一種惡性循環。

每一次外戚宦官鬥爭的結果，總是宦官獲得勝利，尤其到了漢桓帝的時候，這一班宦官更是無法無天。當時京都裡流行一首歌謠：『左回天，具獨坐，徐臥虎，唐雨墮。』形容左悺、具瑗、徐璜、唐衡這幾個太監的厲害與跋扈，簡直像老虎一般兇猛，又彷彿有通天本領。

宦官（太監）者，本來是在後宮裡面伺候皇帝打水、洗臉、吃飯、穿衣的小奴才，沒有學識，沒有品德，更沒有辦事才能。因此，國家大事一旦交到這批傢伙手裡，結果可想而知了。尤其太監身分低賤，有強烈的自卑感，爲了怕別人看他不起，一旦得勢只會作威作福。

由於宦官專權，把朝廷弄得烏煙瘴氣，雞犬不寧，使得東漢的士大夫們非常反感，尤其是東漢的讀書人，受到光武帝表彰氣節的影響，特別看重志節，怎麼忍心眼睜睜看著國家斷送在這幫奴才手裡？

因此，到了漢桓帝延熹八年的時候，陳蕃當太尉，李膺當司隸校尉，這兩個人都是剛毅正直，平素頂痛恨宦官的，決定聯手狠狠的壓制宦官。

當時桓帝有一個親信的太監叫張讓，張讓的弟弟張朔爲野王令（野王縣的縣令），張朔性格暴虐，有一回竟把一名孕婦連她肚子裡的小孩子一起殺死了。命案發生以後，張朔就躲到京裡張讓的家中。

李膺接到消息，帶著人馬趕到張讓家裡搜尋，上上下下都找遍了，就是不見張朔人影。忽然，發現房間裡有一面牆壁看來有問題，當下一砍，喝，果然是個複壁，裡頭有夾室，張朔正好端端坐在那兒。

這下子張朔只有乖乖就擒，被帶到了洛陽獄中，問明口供以後，李膺便做主把張朔幹掉了。

桓帝知道了這件事，很不高興，但是李膺有理，桓帝也沒有辦法。從此以後，太監們個個都閉上口，不敢多言，連走路也都輕聲躡足，一副怕兮兮的模樣。桓帝看了很奇怪，問道：『你們最近怎麼搞的？』太監們一起叩頭道：『我們怕李校尉，我們怕！』說著，齊聲痛哭。

李膺痛宰太監一事傳了出去，士大夫們都有大快人心之感，認爲李膺是中流砥柱的代表，因此能被李膺接見者都視爲無上光榮，別的讀書人也會來恭喜他，稱爲『登龍門』。

可惜不久，這條『龍』的尾巴被夾住了。

原來當時河內有個人叫張成，他善於推算，算出國家將有大赦令（赦就是放掉犯人的意思），叫他的兒子乘機殺人。不久，朝廷果然頒發大赦令，李膺對張成平日與宦官勾結早已不滿，如今張成又濫殺無辜更是可恨，李膺就不理會大赦，把張成的兒子處決了。

張成爲了報仇，派弟子上書朝廷，他說，朝廷裡的大臣與讀書人相勾結，一天到晚造謠生事，結成朋黨，有反動思想。宦官們也在桓帝旁邊起鬨煽動，於是桓帝在延熹九年下詔捉拿黨人（就是那些被宦官指爲結黨的人）。

後來，由於桓帝的岳父說情，下令把黨人全放掉，但是這些名流君子的名字卻上了黑名單，終生不得爲官，這就是歷史上有名的『黨錮之禍』。錮是禁錮終生，被褫奪公權，一輩子不能出任公職的意思。

由於這些人都是愛國的風骨之士，因此他們雖然入過牢，又被判終生不得爲官，社會上一般讀書人對他們仍然尊敬得不得了，稱李膺等人爲八俊（人中英俊），郭泰等人爲八顧（德行相勉），……加給他們許多響亮的美譽，還為他們大開歡迎會，請他們演講，把他們當成英雄般崇拜、讚揚。

這些讀書人不怕死、有操守的佳話，也就流傳千古。

閱讀心得

【第107篇】

孔融『讓梨』以外的故事。

『孔融讓梨的故事』是大家所熟悉的。今天，我們要講一點孔融其他的故事。

孔融是孔子的二十世孫（後漢書記為二十四世孫），從小聰明伶俐，惹人疼愛，他有兄弟七人，排行老六，是個很可愛的小男孩。

當孔融四歲的時候，他家裡經常有人送梨來，這種梨是山東萊陽的特產，皮薄、肉多、核小，輕輕一咬，滿嘴都是甜汁，好吃得不得了。他的哥哥每回都先瞄準一個大的，然後等到『開動』的口令一下，馬上搶過來塞進口裡。

孔融從來不去搶，他總是默默的揀一個小的就離開。一次、兩次，孔融的媽媽還以為他肚子疼。次數多了，媽媽便奇怪了，她把孔融拉到懷裡溫柔的問著：『融兒，你不喜歡吃梨對不對？不然，為什麼每次都挑小的呢？』

『沒有啊，媽媽，我年紀小，當然應該吃小的嘛，大的留給哥哥吃。』

人們聽了，都大吃一驚，對孔融這種敬愛兄長的精神讚不絕口。

孔融十歲的時候，隨父親到京城去遊玩，當時李膺為河南尹（李膺便是上回講的力除宦官的名流），是東漢讀書人的精神領袖，他的門禁很嚴，

除了當代名士及通家世好以外，一律不接見。

孔融很景仰李膺，決定去闖闖看。孔融到了李膺家門口，對門吏深深一鞠躬道：『我是李公的通家子弟，特地前來求見，麻煩你通報一聲。』

那個門吏從未見過孔融，但見他彬彬有禮，舉止大方，也就讓他進去了。

李膺見到孔融，摸摸他的頭道：『是不是你祖父認識我？』

孔融說：『沒有，但是先祖孔子與你的先祖老聃是好朋友，也算得上是通家世交了。』

李膺大笑不已，連連叫：『好，好，有道理！』

這時，剛好太中大夫陳煒也來了，李膺笑著告訴陳煒這件事，並且說：

『你瞧，這孩子多聰明啊！』

陳煒順口便說：『小時了了，大未必佳。』意思是說小時候聰明，長大了不見得成材。

孔融轉著機伶的眼睛說：『噢，那依你的看法，小時候寧可呆笨，對不對？那麼，你小時候一定很聰明！』

這等於是說陳煒現在很笨，李膺聽了大笑不已：『高明，高明，將來定有一番作爲。』

孔融回到家鄉以後，過了三年，他父親去世，孔融哀痛萬分，鄰里都稱孔融孝順。

過了不久，黨錮之禍發生，孔融是個有氣節的讀書人，他對宦官的作爲非常不齒。因此：

有一天，黨人張儉被官吏捉拿，他和孔融的哥哥孔褒相識，情急之下逃到孔家，正好是孔融應門，孔融告訴張儉：『哥哥不在家。』張儉轉身就要走了。

『等一下！』孔融呼喚道：『我哥哥不在家，難道我就不能做主嗎？快進來吧。』於是，張儉在孔家逗留了幾天才走。地方官聞風趕去，張儉已經逃之夭夭了，便把孔褒、孔融兩兄弟關了起來。

孔融首先認罪：『張儉是我藏起來的，應該捉我。』

『不行，張儉是來找我的，他根本不認識我弟弟，要抓應該抓我。』

孔褒抗議道。

地方官看得糊塗了，不知如何是好，偏偏這時孔母也來了，她老人家氣勢洶洶道：『我丈夫已死，我是家長，一切由我負責，你們怎麼可以亂抓小孩呢？』

天下竟有這等怪事，地方官只有報到朝廷，最後朝廷決定由孔褒坐牢，釋放孔母及孔融。他們全家爭死的義行傳遍天下。

以後孔融當了中軍侯、虎賁中郎將、太中大夫，尤其文學修養深厚，被譽爲建安七子之一。學問、道德、文章都很有名。現在有的人懷疑孔融讓梨的眞實性，其實，只要曉得孔融願意代兄而死，也就不會『以小人之心，度君子之腹』了。

閱讀心得

【第108篇】

硬漢虞詡。

東漢光武帝表彰氣節，使得東漢一代的讀書人有風骨、有肩膀。虞詡，便是一個不畏惡勢力的硬漢。

漢安帝永初四年，羌人作亂，虞詡主張用強硬態度對付，得罪了朝廷當權的大臣。這時朝歌地方正在鬧盜賊，一連亂了好些年，地方官吏沒法鎮壓，權臣爲了『整』虞詡，就派他去當朝歌長（朝歌縣的縣長）。

虞詡的朋友聽說他碰上了這件倒楣的差事，都紛紛前來安慰，爲他打抱不平。虞詡卻笑嘻嘻的說：『沒有你們想像的那麼嚴重啦，爲國家做事不能怕困難。』

他到了朝歌，拜見河內太守，太守滿以爲會來一個孔武有力的大將軍，沒有想到竟是個斯斯文文的讀書人，就嘆了一口氣道：『哎，讀書人應該在朝廷貢獻意見，怎麼跑到朝歌這個強盜窩來呢？』

虞詡笑笑，默不作聲。暗地裡招募了一批壯士，分爲三等，上等是擅長於橫行霸道的流氓，中等是專門偷人家東西的樑上君子，下等是不事生產、遊手好閒的無賴。虞詡把他們的罪都赦免了，囑咐他們混到強盜裡搗蛋。不久，果然，土匪窩內亂了陣脚。

虞詡又找了一些窮人，派他們到強盜窩裡當裁縫，叫他們縫衣服多縫

一道五彩的花邊兒。強盜們不知情，因此當強盜穿上新衣，在城裡三三兩兩遊蕩時，立刻被官兵一把捉住。強盜心想：『咦，我臉上又沒有刺字，他怎麼曉得我是土匪。太奇怪了！虞詡一定是神仙！凡人怎麼鬥得過神仙呢？』不一會兒，盜賊紛紛自動豎了白旗。

後來，虞詡調回京裡當司隸校尉，他一口氣先免掉了太傅馮石、太尉劉熹兩個貪官。接著，又要動手辦幾個無法無天的宦官。

由於漢順帝寵任宦官，所以沒有嚴辦。尤其是有個太監叫張防的，從中舞弊，每回虞詡上書，他便從中扣發，不交給皇帝。運用職權，一手遮天。

虞詡氣得血往上冒，他先跑到廷獄說自己有罪前來自首，然後寫了一封措詞相當激烈的報告叫廷尉送上去，上面說：『以前安帝任用太監樊豐，幾乎把國家整垮，現在皇上又重用張防，國家又將面臨大禍……』

張防知道了，一把眼淚一把鼻涕的跑到順帝前面哭訴，直呼委屈，並且說：『虞詡一定是自知有罪，否則為什麼先去廷獄投案？』

順帝是個糊塗皇帝，竟然聽了張防的話，把虞詡關到監牢裡，派獄吏嚴加拷打。古代監獄是很可怕的，各種嚴酷的刑具，樣樣都來。虞詡本是一個白面書生，幾天下來，被打得死去活來，奄奄一息。

有人勸虞詡想辦法找一匹白綾上吊算了，免得受皮肉之苦，虞詡不肯。他說：『我寧可在市場中就地砍頭，絕對不偷偷摸摸自殺。』還是硬漢作風，絕不低頭。

這時，另一個當權的宦官孫程等，因與張防不合，便在朝廷爲虞詡說情：『皇帝怎可把忠臣逮捕下獄，反而重用奸臣張防？』

這時，躲在順帝身後的張防，嚇得瑟瑟發抖，孫程見了大叫：『奸臣張防，還不滾下殿去。』張防嚇得屁滾尿流夾著尾巴跑了。

虞詡被捕的消息傳出以後，他門下的一百名學生扛著大旗，趕到京城，爲老師申冤，每當有人出宮，便跪在地上痛哭，有的學生還用頭叩地，叩得額頭破裂，鮮血直流，順帝這才知道虞詡是天下所仰望的名士，而張防是人人怨恨的小人。

虞詡被放出來以後，很感慨的說：『現在國家一天比一天衰弱，有一個原因，就是朝廷裡的大臣太爲自己打算，不肯與宦官抗爭。總是說：「我不屑與小人一爭長短。」其實呢，是想做好人，享老福，太自私自利了。』

虞詡的話一點不錯，大臣們都想做不得罪宦官的好人，使得東漢宦官的氣燄愈來愈盛。

閱讀心得

【第109篇】

梁冀毒死漢質帝。

東漢末年一直是外戚、宦官互相奪權的局面，國家元氣大傷。順帝本信任宦官，到了永建六年，順帝十七歲，冊立皇后，大權又落到外戚手中。順帝選中的皇后姓梁，是個才貌雙全的名門閨秀，她的父親梁商也是忠厚謙虛的君子，糟糕的是梁皇后的哥哥——梁冀，是個不折不扣的大壞蛋。

梁冀長得就是一副歹相；肩膀像鳶鳥一般高高的聳起，眼睛像豺狼一般直勾勾的凸出，喜歡喝酒、賭博、鬥雞、走馬，靠著父親與妹妹的關係，官位步步高升。

梁冀的生活奢侈放蕩不在話下，他喜歡養兔子，在洛陽城的西邊，開山闢地，建立了一個富麗堂皇的兔苑，裡面養了無數隻兔子，兔子的毛上都烙了印，附近還貼了一個榜示：『有殺兔者與殺人同罪。』實際上，這些兔子的待遇比一般百姓要好得太多。

有一次，從西域來了一個商人，不曉得梁冀訂的怪規矩，無意中傷害了一隻兔子，馬上被官兵捉住，不但腦袋搬家，和這個商人一同前來的幾十個人，一起都殺了頭。

梁冀又在兔苑的旁邊蓋了一座別墅，專門收容作奸犯科的通緝犯，以

及被梁冀看上的良家婦女。這數千人都被他稱爲『自賣人』。

由於政治穢亂，民間盜賊羣起，順帝就在漢安元年派了八位特使去考察地方官的優劣，糾舉不負責任的貪官汙吏。

其中，有一位年紀最輕的張綱，居然不肯出巡。

更怪的還在後頭哩！他竟然把所乘的傳車的車輪拆下來，當著衆人的面，埋在洛陽亭下，感慨的說：『現在啊，大豺狼當道，何必去民間找小狐狸？』立刻奏上一本，彈劾豺狼——梁冀，他列舉了整整十五條罪狀炮轟梁冀。

順帝知道張綱所講的都是事實，但是因爲天性懦弱，又礙著梁皇后的面子，便把報告擺在一邊，繼續容忍梁冀的惡行。

張綱的朋友勸他道：『現在整個的風氣是如此，你一個人喊破了喉嚨有什麼用呢？還是容忍一點吧！』

『哎，哪裡是我沒有容人的氣量呢？』張綱長嘆了一口氣說：『其實，梁冀與我無冤無仇，我犯不著得罪他，只是不忍心國家壞在這傢伙手裡。』說著說著，他眼睛裡充滿了淚水。

由於順帝的姑息養奸，梁冀的氣焰一天比一天高，根本不把皇帝看在眼裡。

順帝只活了短短三十年。太子炳即位，炳即位時才兩歲，即位只有六個月就死了，是爲漢冲帝。接著，由八歲的劉纘即位，是爲漢質帝。在這段時間內，一直由梁冀掌權。梁太后聽政。

漢質帝雖然只有八歲，非常聰明伶俐。

有一次上朝時，質帝突然間指著梁冀對大家說：『這眞是一個跋扈將軍啊！』

梁冀聽了，懷恨在心，就命令下人在蒸餅時，偷偷摻進毒藥拿給小皇帝質帝吃。

質帝吃了，立刻抱著肚子在床上翻滾，疼得全身冒冷汗。梁冀聽到呼喊聲，趕進來問：『怎麼回事？』

質帝微弱的喊著：『水，水，我要水！肚子裡有火在燒。』梁冀在旁冷冷道：『喝不得水，要是嘔吐怎麼辦？』話沒有說完，質帝已氣絕而死。

順帝容忍梁冀的結果是梁冀容忍不了質帝。順帝要是地下有知，一定後悔萬分。

容忍是一種美德，尤其在民主社會的今天，我們更要有容忍別人的雅量。但是要弄清楚，這件事值不值得容忍，容忍的結果是什麼？不該容忍也強加容忍，便是懦弱，便是沒有是非。

閱讀心得

【第110篇】蔡伯喈被趙五娘的故事害慘了。

『趙五娘尋夫』是個很有名的民間故事，在電影、電視、平劇中也曾一再演出。

故事的大意是說，漢朝有個窮讀書人蔡伯喈，娶了一個賢慧的妻子趙五娘。婚後，蔡伯喈進京趕考，高中狀元，而且被選中當了駙馬爺。趙五娘三番兩次寫信到京裡去打聽，蔡伯喈都不聞不問。

後來，家鄉鬧饑荒，蔡伯喈的父親餓死，母親上吊，趙五娘只好帶著兒女到京裡去找蔡伯喈。蔡伯喈不但不見趙五娘，反而派人加以暗殺，幸而趙五娘遇到了貴人，講出了冤屈，最後蔡伯喈迫於情勢，接回了趙五娘，全家大團圓。

在這個流傳甚廣的民間故事中，蔡伯喈被描寫成一個不忠、不孝、不仁、不義的惡棍。其實，根本不是這麼一回事。

蔡伯喈的本名叫蔡邕，是東漢末年的一位大儒，爲人敦厚善良，而且非常孝順。他母親病了三年，蔡邕伺候了三年。三年中連睡覺都不敢上床，只在母親的病榻前閉一下眼睛養養神。

蔡邕不但學問好，而且多才多藝，精通天文，尤擅長於音律。

有一次，有個吳人在燒桐樹取火做飯吃，蔡邕聞到樹木飄出的味道，

連忙說：『嗯，這是難得的良木，應該鋸下來做琴，燒掉了太可惜。』那人聽了蔡邕的話，把這截木頭熄了火，把沒燒的部分製成了琴，一彈之下，果然音韻悠揚，不同凡響。由於琴尾已不幸被燒焦了，當時人稱這把琴叫做『焦尾琴』。

又有一次，鄰人請蔡邕過去吃飯，蔡邕去遲了，酒宴已開始了。蔡邕走到鄰人家門外，忽然聽到裡面有琴音，他仔細一聽，不禁大吃一驚道：『糟糕，此音中有殺心，他請我吃飯，難道……』正轉身要走，鄰人剛好出來道：『請進，請進，大家都在等你！』硬把蔡邕拖了進去。

進去之後，鄰人問：『你老兄怎麼剛才一副要走的姿態？』

蔡邕隱瞞不住，只好照實說出，鄰人一拍腦袋道：『方才我彈琴時，發現窗前有一隻螳螂正在捕蟬，蟬要飛而未飛，蟬在前，螳螂在後，我心裡頭好緊張，莫非這一念的殺心，就表現在琴音之中？』

『對，就是這件事。』蔡邕莞爾一笑，大家都拍手說蔡邕對音樂的感觸眞敏銳。

由於蔡邕以博學聞名，朝廷命他在東觀（中央的圖書館）擔任校書（校勘圖書的工作）。蔡邕發現經書之中的錯誤很多，惟恐貽誤後來的讀書人，便在熹平四年奏請校訂尚書、周易、論語、禮記、公羊傳等五經文字，他並且用隸書寫成，刻爲四十六塊石碑，歷史上稱爲『熹平石經』。

熹平石經完成以後，全國各地的讀書人，紛紛跋涉千里跑到洛陽來抄寫正確的五經，一時之間，車水馬龍熱鬧極了。這是中國歷史上輝煌的一件大事。

刻熹平石經是漢靈帝所做的唯一善事了。當時，靈帝整日被小人包圍，朝廷裡一塌糊塗。他耽於淫樂，喜歡玩狗，竟然爲狗封『狗爵』，官位高的狗，頭戴進賢冠，腰佩綵綬帶，神氣活現，簡直荒唐透頂。這自然又是宦官的主意。

蔡邕寫了一個奏章呈給靈帝，檢舉太監。靈帝對蔡邕很尊重，邊看邊嘆息。太監曹節躲在屏風後，早就虎視眈眈在注視，只恨距離太遠，一時看不清楚，又不方便搶過來看，心裡很著急。剛好靈帝入室更衣，曹節趕快拿來一看，發現蔡邕糾舉的都是自己的同黨人。

於是，曹節先下手爲強，發動小人寫了一個匿名的奏章，說蔡邕以私害公。靈帝交給尚書查辦，尚書礙著宦官的情面竟判『斬首』，要不是靈帝體念蔡邕對國家有功減刑，蔡邕便上了斷頭臺。

從上可知，蔡邕是個孝順父母，有爲有守的讀書人，對文化極有貢獻，怎麼會和趙五娘的事混在一起？眞是奇怪，想來總是有些好事之徒亂造謠言所引起的。

閱讀心得

【第三篇】

昏君・奸宦・黃巾賊。

東漢末年的漢靈帝，是歷史上有名的昏君，他寵信宦官無以復加，曾經說過『張常侍是我公，趙常侍是我母。』（張常侍、趙常侍都是宦官）簡直把太監當成親爹娘。所以當時宮中最囂張的十個太監，號稱『十常侍』，人人畏之。

這十常侍爲靈帝出了許多莫名其妙的主意，譬如公開的販賣官爵，兩千石的官（相當於現在的部長）兩千萬元，四百石的官（相當於現在的科長）四百萬元，如果錢不夠，沒有關係，可以分期付款，但是要加倍還利息！可以說是由皇帝倡導的『紅包政策』。於是，地方上充斥著買來的官兒。

收了紅包，自然要大大享受一番，修園子，建寶殿，都嫌不過癮，靈帝建了一個特大號的浴池，將西域進貢來的香草浸泡在池中，與美女共浴。浴後的水，從溝渠中流過，那芬芳撲鼻的香味兒可傳到數里之外，人稱為『流香渠』。

宦官又教靈帝打扮成商人模樣，在後宮中和宮女玩買賣的遊戲，討價還價，打打鬧鬧。由於靈帝不夠精明，到頭來，這個假商人的貨物全被宮女騙光了。但是靈帝覺得很有趣，樂此不疲，成日與美女打情罵俏，把國

張
張
張
張
張

家大事拋在腦後，常常快樂的說：『能萬歲如此，眞神仙也。』

由於政治腐敗，老百姓苦不堪言，在人心痛苦的時候，最容易產生迷信心理，求取心靈上的慰藉。黃巾賊便這樣出現了！

話說有個名叫張角的鉅鹿人，讀過幾天書，自稱爲大賢良師，他供奉一些神號稱太平道，誘惑愚夫愚婦。

當時民間流行傳染病，死者不計其數。張角找到了幾個治病的古方子，到藥店抓了藥，用水煎成汁，放在瓶子裡，自稱能爲病人驅魔。

等到病人上了門，張角把藥水取出，叫病人跪拜在壇前祈禱，他自己就假裝在燒符，口中念著一些別人聽不懂的鬼話，裝模作樣的搞了半天，再愼重無比的把藥拿出，讓病人服下。

有的病人吃藥以後，依舊一命歸天，但也有幾個命不該死，竟然活轉過來，感激涕零之餘，把張角當成了神。十年下來，凡青、徐、幽、冀、荊、揚、兗、豫等八州，沒有不知賢良大師者，甚且有人變賣家財，萬里跋涉以求見一面。他的信徒加起來竟有數十萬之多。

司徒劉陶深以爲憂，上書請求朝廷加以取締，靈帝正忙著鬥雞走狗，沒有工夫管這些，置之不理，姑息養奸。

張角眼看時機已成熟，把部下組織爲三十六方，每方派一個『渠帥』帶領，大方有一萬多人，小方也有六、七千人之多，並且造謠『蒼天已死，黃天當立，歲在甲子，天下大吉。』意思便是說改朝換代的時機已來到，由張角統一天下了（張角的部下都以黃巾包頭，所以稱爲黃巾之亂）。他派人混入京師，在夜晚，用白土在官員家的大門上寫著『甲子』二字，官員們早上出門看到，嚇得魂不附體，直打哆嗦。

靈帝張皇失措，不知如何是好，郎中張鈞上書『張角能作亂，全因十常侍魚肉百姓所致，如果斬十常侍，則天下太平。』靈帝把上書拿給十常侍看，十常侍紛紛辭官，磕頭請罪，而且捐獻錢財勞軍，裝腔作勢表演了一番。

靈帝大爲感動，更認定太監們對他是一片忠心，倒是張鈞口出狂言，太可惡了，下令把張鈞逮捕獄中，拷打至死。

此時，幸虧有個涼州將軍皇甫嵩，擅長騎馬射箭，足智多謀，他看準當時正是盛夏，黃巾賊結草爲營，就擬了一套火攻的辦法，趁著黃昏起風時，天色漆黑如墨，命軍士用火燃燒了葦草向賊營中拋去，草遇到火，立刻燒成一片，剎那間，火焰沖天，賊人大驚！皇甫嵩又率領軍士手持火炬，一路鼓譟而來，殺得賊屍遍地。到了天亮，又有一支官兵，從外殺了進來。內外夾攻之下，黃巾賊一敗塗地，率領這支官兵的，不是別人，正是一世梟雄——曹操。

皇甫嵩平亂有功，理該升官，太監張讓向皇甫嵩要求一個大紅包——五千萬元。皇甫嵩不理會張讓，張讓惱羞成怒，跑到靈帝耳根旁說：『皇甫嵩雖然討平黃巾賊，但是官兵損失慘重，這是他辦事不力。』昏庸的靈帝，就將皇甫嵩削官降職。

黃巾之亂雖然討平，但國家元氣大傷，因此而生的盜賊，有張牛角、于毒、李大目等，不計其數。漢靈帝不辨是非，不明善惡，難怪把國家搞得一團糟。

閱讀心得

【第112篇】

袁紹屠殺宦官。

糊塗的漢靈帝在中平六年去世，只活了三十四歲。奇怪，東漢末期的皇帝全都短命。年僅十七歲的劉辯即位，是爲漢少帝。

由於少帝年紀還小，由何太后聽政，太后的哥哥何進掌權，政治的權力中心，又由宦官轉到外戚身上。

何進一向痛恨宦官，尤其和統領西園八校尉的小黃門上軍校尉蹇碩形同水火，他就和中軍校尉袁紹商量，怎麼可以除掉蹇碩。袁紹這個人儀表威武，相貌堂堂，以前在黨錮之禍的時候，救了不少有氣節的讀書人，因此何進非常尊重袁紹。

不料，宦官蹇碩已聽到了風聲，悄悄的在暗中部署，逼得何進只有先下手，幹掉了蹇碩，收回了兵權。

這時，袁紹勸告何進：『以前竇武想殺宦官，因爲事機不密，反而被宦官所殺，你現在統領禁兵，何不趁此機會，把宦官一網打盡，贏得千秋萬世的美名？』

何進很贊成袁紹的看法，立刻進宮向太后稟告。

何太后想了半天，遲疑的說：『這個不太好吧！宦官管理皇宮是自古以來就有的制度，而且我一個婦道人家，先帝又去世不久，和士人一起共

事也不方便，還是得過且過算了。』

何進也不敢再爭，縮著腦袋退出宮門，剛一出門，馬上被袁紹一把拉住：

『怎麼樣？』

『太后不肯，沒有辦法。』何進皺緊了眉頭。

袁紹神色凜然道：『糟了，現在騎虎難下，一失機會，恐怕會被老虎給吞了。』

宦官張讓等得到了消息，連忙用金珠玉帛買通左右，向何太后下工夫，久而久之，太后漸漸與何進疏遠。何進本是個優柔寡斷的人，這樣一來，更不敢有所舉動。袁紹在旁乾著急，又爲何進獻上一計：

寫信給附近的四方猛將及各處將帥，請大家帶兵進京，逼迫太后非殺宦官不可。

何進深以爲然，分頭寫信給各地豪傑。其中有個名叫董卓的將領駐守涼州，野心勃勃，惟恐天下不亂，接到信後即刻率領羌胡兵南下，並且寫了一封信給太后，威脅太后殺盡宦官。

何太后看了信，大爲不悅，何進也有點忐忑不安，想阻止董卓也來不及了。太后非常恐慌，下令罷免所有宦官，一律各自回家鄉。何進兩手一攤，對著跪在地上求饒的太監們說：

『並非我想和各位爲難，現在天下滔滔，不肯就此干休，你們還是早點兒滾吧！』

不久，宦官假傳聖旨，把何進騙入宮內，一入宮，門『碰！』的一聲關上，宦官張讓指著何進的鼻子大罵：『好啊，現在天下大亂都怪到我們頭上來啦！想當年先帝和太后爲了王美人的事鬧得感情不睦，要不是咱們哭哭啼啼爲你們兄妹說情，你們有今天嗎？哼！』說著，大小宦官都圍了上來，何進手無寸鐵，只有任憑宰割。

在外頭等待的尚書，發覺有些不對勁，於是大呼：『請大將軍出來宣詔。』不料宮內有人嚷道：『何進謀反，已經斬首。』話還沒說完，隔牆擲出一個鮮血淋淋的頭顱，眼睛睜得大大的，正是何進的腦袋，說有多恐怖就有多恐怖！

袁紹接到消息，率兵攻進了皇宮，四處搜尋宦官，見一個，殺一個，見十個，殺十個，無論是老少長幼，只要是沒有鬍子的男人一概殺。殺！

殺！殺！一口氣殺了三千多人。有許多宮女被士兵誤認爲是宦官，也慘被殺害。

宦官張讓、段珪在一片混亂中，挾持著小皇帝及皇弟陳留王出宮逃亡，這是東漢外戚宦官爭權的最高峯。其結果是：少帝只做了六個月的皇帝，後來被董卓所廢，並被毒死。眞的是兩敗俱傷，同歸於盡，也斷送了國家的命運。

閱讀心得

【第113篇】

董卓亂政。

袁紹帶兵進宮殺光了『沒長鬍子的男人』，太監張讓、段珪等在亂兵中，挾持十七歲的少帝，以及九歲的陳留王逃出皇宮……。

一行人走到小平津時已經深夜了，正茫茫然不知所措，忽然聽到背後傳來聲音，原來是尚書盧植以及南中部掾閔貢趕來了。閔貢叱責張讓道：『亂臣賊子還想逃命，看我今天不宰了你。』說著，拔劍出鞘，信手一揮，便把張讓身旁幾個小太監劈倒了。

無惡不作的張讓，如今死期已到，跪在漢少帝面前哭哭啼啼：『臣等死了，望陛下自愛！』說完話，他便一躍入水自盡了。於是盧植、閔貢攙著少帝和陳留王轉回宮中。由於少帝及陳留王年齡很小，而且自幼在皇宮中嬌生慣養，從來沒有走過夜路，加上天色黑暗，涼風颯颯，又滿地荊棘，七高八低的，還眞不好走哩，只有藉著螢火蟲發出的微光，慢慢的向前挪動。

走啊走，走了半天，閔貢發現了一戶人家，門前停著一輛板車，他就把少帝兄弟抱到車上，推到了驛站。

第二天一早，閔貢僱了兩匹馬，少帝獨自一匹，他抱著陳留王騎著另一匹。其他隨員步行在後。

正在緩緩向前，忽然之間，塵土沖天，旌旗招展，大隊人馬呼喊而來！大家都嚇了一跳，尤其是少帝『哇！』的一聲哭了起來。

這時，有個長得濃眉大眼，腰壯體肥的大將軍走了出來，他不是別人，正是準備派兵入宮幫忙何進、袁紹剷除宦官的董卓。董卓本來駐軍在城外，遠遠看到宮中大火，知道發生了政變，連忙帶兵進城，沒有想到在這兒遇上了皇帝。

董卓上前來和少帝談話，少帝已被一連串的事故嚇呆了！只是一個勁兒的指眼淚，半句話也說不出。

問了半天問不出個道理來，董卓只好轉身去問陳留王，沒有想到這個年僅九歲的小王弟很沉得住氣，不慌不忙的把事情的前前後後交代得一清二楚，董卓大爲驚異。再一詢問才發現，陳留王從小由董太后撫養長大，董太后姓董，和董卓同宗，如此一來，董卓對陳留王又多了一分好感。

一行人回宮以後，少帝與陳留王到處找傳國國璽找不著，這也是一件怪事，更是一件不祥的預兆。

董卓帶兵入京，匆匆忙忙之間，只帶了三千人馬，他恐怕兵少力薄，不足以服衆，就每隔個四、五天，將一部分人馬調出城外。到第二天清晨，再敲鑼打鼓的返回營中，不明就裡的人，還以爲他有多少兵馬呢。

自從掌握兵權，董卓的氣焰一天比一天高。有一天他對袁紹說：『現在的少帝太過軟弱，不配爲君，陳留王年紀雖小，非常聰穎，我想立他爲君，你看如何？』

袁紹說：『不可以，不可以，今上年紀還小，又沒有犯什麼過錯，爲什麼要廢君？如此一來，天下一定也會不服的。』

董卓聽了，勃然大怒：『你小子膽子可眞大，現在天下的事，誰敢不聽我的？嘿嘿，莫非你以爲我董卓的刀不利，對不對？』

袁紹也火了：『你以爲天下的勢力，都在你姓董的混蛋手上嗎？』說完，提著刀，騎上馬，逃奔到冀州去了。

緊接著，董卓就提出了他的主張，文武百官個個大驚失色，也不敢作聲，只有盧植站起來反對。董卓惡狠狠的瞪著盧植，拔起劍，猛烈的向盧植撲去，衆人急忙向董卓勸說道：『盧植是海內大儒，很有人望，你殺了他，會使天下不安的！』董卓才不甘心的把劍收回。

就這樣，少帝被廢，陳留王繼任爲帝。這個新立的小皇帝劉協，就是東漢最後，也是命運最爲坎坷的漢獻帝。然而，令人不可思議的，他卻是在羣雄虎視之下，自有東漢以來，僅次於光武，做得最久的一位皇帝。光武揚眉吐氣在位三十三年，獻帝則是忍氣吞聲在位三十二年。最後，終爲曹操的兒子曹丕所篡滅。

閱讀心得

【第114篇】

一代才女蔡文姬。

『蔡伯喈被趙五娘的故事害慘了』的那篇故事中，曾介紹了曠世逸才蔡邕（字伯喈），現在再講一個蔡邕的女兒——蔡琰的故事。

蔡琰字文姬，是蔡邕的獨生女。由於蔡邕是個有名的經學家、辭賦家，擅長音樂，家中又有四五千卷的藏書，文姬在父親的薰陶之下，博學而多才，琴棋書畫樣樣在行，從小沐浴在文藝的氣氛之中。

有一天，蔡邕夜間彈琴，忽然之間，琴弦『嗒』的一聲繃斷了。文姬在旁說：『這是第二弦。』蔡邕說：『這是你猜對的。』又繼續彈下去。

彈了一半，蔡邕故意用手指弄斷另一根弦。文姬笑笑說：『這次斷的是第四根弦。』蔡邕高興極了，直誇文姬聰明。父女二人研究詩歌，共享音樂，日子過得很美。

文姬十七歲那年，嫁給河東地方的衛仲道，可惜衛仲道沒有福氣享受美人恩，新婚不久衛仲道因病去世，也沒有留下一男半女，文姬只好回娘家，陪著父親吟詩彈琴，倒也悠閒自在。

不久，董卓亂政專權天下，他想要收買天下，沽名釣譽，打聽到主持熹平石經的蔡邕，是大衆敬慕的讀書人，準備召他爲官。

蔡邕不願意爲老奸賊効命，託說身體有病。董卓生氣了，對蔡邕說：

『我能用你這個人，我也能滅你蔡家的族。』

蔡邕沒有辦法，只好應詔入京。臨走之前，蔡邕拍拍文姬的肩膀道：

『我實在不想去，可是命令不能違抗。到了洛陽以後，我雖然不能扭轉情勢，但至少要竭盡所能的伸張正義，點亮每個人心中的一絲亮光。我走了，你要好好照顧自己。』說完了，蔡邕低著頭上路了。

不久，呂布把董卓殺了，董卓的部下帶著匈奴兵打家劫舍。初平三年，文姬不幸被匈奴兵擄去。同年四月，蔡邕因爲董卓案的牽累，被王允殺死。可憐的文姬，還不知道這個消息。

到了興平二年，文姬被輾轉帶入南匈奴，被迫嫁給胡人，生了兩個兒子。她聽不懂胡人的話，吃不慣胡人的食物，住不慣胡人的帳篷，最叫她不能忍受的是，胡人不講禮儀。而文姬自小家教謹嚴，知書達禮，只有對著皚皚白雪，暗自垂淚。

之後，曹操奪到了天下大權，想起蔡邕有個女兒，千方百計打聽出文姬在南匈奴，用重金將她贖回。

回到漢地以後，文姬又嫁給了同鄉董祀。後來董祀犯了法，文姬到曹操那兒苦苦哀求，董祀才免於一死。文姬到此，眞是歷盡滄桑。

她把這股抑鬱宣洩在『胡笳十八拍』，以及『悲憤詩』中。在『悲憤詩』中，文姬從董卓作亂被擄入胡寫起，一直寫到還鄉再嫁爲止，條理嚴謹，將十二年間流離轉徙的生活，悲傷痛苦的心情，以及當代政治的紊亂，一起在詩裡反映出來，成爲一首最有社會性及歷史性的作品。中間描寫胡人對漢人的虐待，例如『馬邊懸男頭，馬後載婦女』，形容離開胡地，不忍與兒子別離，『兒前抱我頸，問母欲何之。』（欲何之，就是『到哪兒去』的意思。）以及回家後所看見那種荒涼悽慘的景象，和隱伏在心中沉痛的悲哀。寫得深刻感人，是中國文學史上了不起的敘事詩。

文姬一生坎坷多難，可以說得上是紛亂的大時代之中，一個悲慘的犧牲者。所以說：『覆巢之下無完卵』。國家衰亡，管你是老，是少，是男，是女，統統完蛋。

閱讀心得

第115篇

神醫華佗。

當我們生了病去看醫生的時候，經常都會發現醫院的牆上，掛了許多『華佗再世』的匾額。這是病人痊癒後，爲了感謝醫師的仁心仁術，特別推崇他醫術高明，可以媲美華佗的意思。今天，就要講神醫華佗的小故事：

華佗是東漢末年的讀書人，當時天下大亂，加上災疫流行，老百姓苦不堪言。華佗看到這種悲慘的情形，從小就抱定主意，做一個良醫，爲大衆解除痛苦。

他刻苦好學，認眞研究春秋戰國的扁鵲和東漢張仲景所遺留下來的醫書，並且創造發明，對內科、外科、婦科、小兒科、針灸都很在行，尤其特別擅長外科手術，可以算得上是中國外科醫學的鼻祖。

遠在漢代以前，人們已經發現若干藥物具有麻醉的功效，華佗利用這些物質，配成『麻沸散』，用來摘除腫瘤、縫合腸胃。他先叫病人用酒服下麻沸散，等到病人昏迷之後，開腔剖腹，把疾穢之處割掉、縫合，敷上藥膏，過了四、五天，傷口癒合，一個月之後，就完全康復了。

三國演義這部小說裡，記載關公守襄陽的時候，右臂中了毒箭，華佗前來醫治，他說最好是把手臂套在鎖環中用繩子捆緊，再用棉被蒙住腦袋，然後開刀動手術。可是關公表示：『用不著這樣麻煩，我不怕痛。』於是，

華佗動手操刀，割開皮肉，一直割到了骨頭，發現骨頭已被劇毒染成青色，便用刀刮毒，刮得窸窣有聲，聽起來相當恐怖！其實，開刀不用麻醉，不太可能，正史書上也沒有記載這一段，但是華佗能動手術，應該是沒有問題的。

有一天，華佗上街碰到一個人，咽喉阻塞吃不下任何食物，華佗建議他去買三兩蒜，調上半碗醋喝下去就好了。病人喝下以後，不一會兒，吐出一條大寄生蟲來，病就不藥而癒。病人歡天喜地拿著寄生蟲去見華佗，卻見華佗家裡的牆上掛了十幾條同樣的大蟲。

又有一次，有個李將軍來找華佗，說他妻子生產後病了，請華佗過去看看。

華佗診斷的結果，這個婦人受了傷，胎兒還未下來。李將軍大爲不悅：『在你來之前，明明胎兒已生下來了。』不但不相信華佗的說法，還把他趕出門外。

過了三個多月，這婦人的病愈來愈嚴重了，李將軍只好再去找華佗，華佗也不計較李將軍先前的無禮，立刻趕來，診斷的結果還是和上回一樣，有個胎兒在裡面，原來是個雙胞胎。因爲第一個胎兒生下時，失血過多，影響第二胎，經過扎針，服藥，這個死胎才取下。

有一個人，得了一種頭暈的毛病，日子一久，不但頭會暈，最後連頭都抬不起來，眼睛也看不見了。這病一拖，拖了一、兩年，羣醫束手，後來，病人聽說華佗的大名，趕快去找華佗求治。

華佗檢查之後，命病人把身上的衣服脫光，雙脚足踝綁上繩子，頭下脚上倒掛在屋樑下，頭離地約一、兩寸。接著，用濕布拭擦全身，並且使倒掛的病人懸空旋轉，過了一會兒，發現病人的經脈都呈現五色。

華佗叫幾名徒弟用刀割開經脈，血立刻流出來，奇怪的是，血是五色的。等到五色血流完，流出鮮紅的血，便把病人放下來，塗上止血藥，再用藥膏擦皮膚，又調配了藥水給病人喝，過了幾天，病人的怪病就痊癒了。

又有一個郡太守，長期重病，請華佗來醫治，華佗診視以後，表示藥很貴，郡太守爲了治好病，只得忍痛付了一大筆錢給華佗，沒想到華佗收了錢並不開藥，只在客房裏呼呼大睡。

郡太守很不高興，却也無可奈何。

第二天早上，傭人報告郡太守，華佗趁夜晚逃走了，郡太守急急趕到客房，只見房內空空如也，華佗早已不在了。書桌上倒是留了一封信，原來是華佗寫的。信中大罵郡太守，郡太守大怒，立刻派人去追殺華佗，結果，又找不到華佗。

郡太守自覺被華佗騙去鉅款，又挨了臭罵，愈想愈氣，一時之間，胸口翻騰，竟吐出幾升黑血。

不料，這幾升黑血吐出之後，精神大振，病竟然好了。過了幾天，華佗登門拜訪，把錢還給郡太守說：『你的病是瘀積的黑血造成的，故意激怒你，就是要讓你氣得吐血，現在，你的病已經好了，我把錢還給你。』

曹操也是華佗診所裡的病人，據說他常患頭風眩，華佗爲曹操扎了一針，病就好了。因此，曹操很喜歡華佗。但是華佗不齒曹操爲人，又急於返家爲鄉里服務，假託妻子病重告假。

曹操事後知道此事，大爲震怒，下令賜死華佗。華佗臨死之前，拿出一卷書交給獄吏，對他說：『這本書可以救人的……』獄吏搖搖頭，不敢接受。華佗只有嘆口氣，便把這本偉大的醫學寶典給燒了，眞是可惜！

華佗曾發明了一套可以延年益壽的妙法——『五禽之戲』。那就是模仿虎的撲動前肢，鹿的伸轉頭頸，熊的伏倒站立，猿的脚尖縱跳，以及鳥的展翅飛翔等動作。他曾在許昌指導很多人做過這種體操，頗受歡迎。華佗的學生吳普，天天做五禽之戲的體操，活到九十歲，還是耳目聰明，齒牙完整。

華佗距今有一千七百多年，已有如此成就，足以證明，中國人的智慧絕對是一流的！

可惜華佗的醫學沒有傳下來，否則，中國醫術的成就更大了。

閱讀心得

【第116篇】董卓與呂布。

奸雄董卓廢掉少帝後，迎立了九歲的小皇帝——漢獻帝。

這個時候，各路人馬紛紛起兵攻討董卓，董卓決定劫持著漢獻帝，把國都自洛陽遷移到長安去。

宮廷內沒有一個人情願遷都的，但是爲董卓所迫，只好草草收拾行裝。董卓又下了一道命令——不准捱延時日。一些富豪人家，倉促之間來不及安排，請求寬限幾天，董卓正好利用這個機會，把富豪的財產吞沒，並且斬首示衆。

洛陽城内數百萬的老百姓，含淚忍痛離開故鄉，拋棄田園廬舍，帶著些細軟物件，扶老攜幼的上路了，一路上人踩人，踏死人，沿途又有小偷強盜趁火打劫，死傷不計其數。董卓自己留在洛陽畢圭苑中，一把火燒光了宮殿、官府、居家，整整方圓兩百里内，都成爲斷垣殘壁的荒蕪之地，連一隻雞、一條狗都找不著。他又命令親信呂布，把以前皇帝貴族的墳刨開，收取墓中的珍珠寶貝納入自己的荷包中。

殘忍的董卓擄獲到一批山東兵後，他拿了幾十匹布，把山東兵一個一個用布纏緊，再用膏油淋在布上，然後在脚上點火焚身，那種哀嚎的哭聲，燒人肉發出的臭味，眞叫人耳不忍聽，目不忍睹。

董卓到了長安後，政事大半由大臣王允治理，王允非常忠心於漢室，但是表面不動聲色，假意奉承董卓。

不過董卓最信任的人還是呂布，呂布擅長射箭騎馬，臂力過人，武功高強，是董卓的貼身侍衛。董卓非常喜愛呂布，把他收爲乾兒子，然而董卓這個人性子太剛烈，有一次，呂布有件小事不合董卓的意，董卓抽出小戟（古代一種兵器，將戈與矛合一，可以直刺與橫出）就朝呂布擲過去，幸虧呂布身手矯捷，一下就避開了，但從此心裡埋下了仇恨的種子。

後來，呂布偷偷和董卓宮內的一個婢女相好，他很害怕這件事被董卓知道，心裡益發不安。(在三國演義這部小說中，描寫王允利用養女貂蟬爲工具，製造董卓、呂布的不和，然而正史上沒有這一段美人計，也沒有貂蟬這個人。）

王允看出呂布對董卓的不滿，意圖拉攏呂布爲内應，找個機會殺掉董卓，因爲董卓時時害怕被暗殺，走到哪兒都有嚴密的保護，一般人絕對近不了身的。

呂布考慮了半晌說：『這不太好吧，我們是父子。』

『什麼父子？你姓呂，他姓董。』王允又接著說：『你念及父子之情，那董卓用小戟刺你的時候，他怎麼不考慮父子之情？』

呂布被王允說得心動了。獻帝初平三年四月，惡貫滿盈的董卓自未央殿走出，他内穿防身鐵甲，外罩上朝官服，大搖大擺，一步一步的走出來，騎上馬，兩旁兵士夾道，層層護衛，呂布騎著赤兔馬緊跟在後頭。

走到水掖門時，董卓的馬忽然停止，昂首長嘶，郡騎都尉李肅自馬旁衝出來，拿著戟往董卓胸前搠去，董卓身穿革甲因此刺不進去，手臂上卻被劃了一刀，跌倒在車上，董卓大叫：『呂布，呂布，快來啊！』

呂布在後嚴厲的說：『朝廷有詔書，要殺老奸賊！』

『你，你這笨狗也做這種事？』董卓話還沒說完，呂布的戟已刺入董卓的咽喉。在旁的官兵都大呼：『萬歲，萬歲！』

老百姓聽到董卓已死的大好消息，在長安街上歌舞狂歡，比過新年還熱鬧。此時，天氣轉熱，董卓本是大胖子，脂肪淌流出來，守屍的人在董卓肚臍裡插了一根燈芯點起來，竟然光亮如晝，一連燒了好幾天。

由於董卓之亂，地方上許多英雄好漢起兵討董，後來演變成爲三國鼎立的局面，漢朝此時已名存實亡了。

閱讀心得

【第117篇】

曹操從小奸詐。

我們罵某人很陰險，常常會說他『像曹操一樣』。以下是這個大奸雄未發跡以前的幾個小故事。

曹操字孟德，小名叫阿瞞，他小的時候非常機警，喜歡飛鷹走狗，任俠放蕩，遊手好閒。

曹操的叔父很討厭他這種德行，時常在曹操的父親——曹嵩耳邊數說：『你這個寶貝兒子，要好好管教管教！』曹嵩聽了，便把曹操喊來教訓一頓。曹操挨了揍，對叔父深爲不滿。

有一天，曹操在路上碰見了叔父，立刻仆身倒地，臉色發青，直翻眼珠，嘴裡不斷的吐著白沫兒。他叔父嚇得問：『怎麼了？怎麼了？』曹操回答：『我中風了！』

一聽中風，非同小可，曹操的叔父趕緊去跟曹嵩說，等曹嵩趕來一看，曹操好好的站在那兒，曹嵩著急的問：『你中風了，現在好一些沒有？』『哎，孩兒哪有中風，只是叔父不疼我，故意說我中風。』曹操委委屈屈的告訴了父親，曹嵩看曹操沒有一點兒不舒服的樣子，信以爲眞。

從此以後，叔父每次好心跑來告訴曹嵩，說曹操的種種敗德壞行，曹嵩都當作沒有聽見，曹操爲自己的詭計得逞，得意得要命。

曹操長大以後，博覽羣籍，特別愛好兵法，能文能武。當時有個人叫許子將，很會看相。曹操跑去問許子將：『你看看我怎麼樣？』

許子將只是微微笑著，默不作聲，曹操很憤怒：『好就是好，不好就是不好，你趕快說啊。』許子將被曹操逼急了，只好回答：『你啊，在天下太平時是個能臣，在世局動亂時是個奸雄。』曹操聽了也不生氣，哈哈大笑，推了許子將一把說：『你眞算準了！』

以後，黃巾賊作亂，曹操被任命爲騎都尉，討伐潁川盜賊有功，又升爲濟南相。不久，又改爲東都太守。

這個時候，大將軍何進與袁紹陰謀殺光宦官，寫信給各地將領派兵相助，也寫了信給曹操。

曹操看到了信，啞聲失笑道：『宦官是古來便有的，如果皇帝不交給他們權力，他們有什麼本事可以爲非作歹，所以要殺，殺掉宦官首領就可以了，何必勞師動衆。我看，袁紹、何進是非敗不可。』因此曹操按兵不動。

果然，曹操的眼光獨到，袁紹殺光了宮中沒有鬍子的男子後，大權被董卓奪去，董卓廢掉了少帝，迎立了獻帝，京都洛陽大亂。董卓任命曹操做驍騎校尉，準備與他共謀大計。曹操看準董卓必敗無疑，不願與董卓共事，董卓下令逮捕曹操，曹操趕緊連夜化裝改名換姓逃離洛陽。

走了三天三夜，到了成皋地方，曹操想起來他父親有個朋友呂伯奢住在這兒，決定在呂家住一宿。

呂伯奢見到曹操，非常高興，客氣萬分，他請曹操用過茶後，又留曹操在家吃晚飯，然後就獨自出去了。

曹操生性多疑，他心中暗想：『呂伯奢也不是我的至親，他會不會去通風報信了。』於是，曹操偷偷走到草堂後，忽然聽到沙沙磨刀的聲音，心裡大吃一驚。

『咱們把他綁起來宰了吧！』曹操聽到有兩人在後堂說話，他想，這下不會錯了。呂伯奢的家人一定在設計害他，於是，曹操拔劍直入後堂，一口氣殺光了呂伯奢家中大大小小八個人。殺完了以後，到廚房一看，一條大豬拴在那兒，原來曹操誤會了呂伯奢，人家殺豬待客，一片好心卻落得全家滅口。

　　曹操逃出了呂家，遠遠看見呂伯奢騎著馬過來，手上提著又是酒又是菜，才知道呂伯奢不是去報告官府，而是去買酒菜。曹操惟恐他回來看見屍首，不由分說的把呂伯奢砍成了兩半。然後逃之夭夭。

　　一口氣誤殺九個人，曹操也不後悔，他說：『寧可我對不起別人，不能讓別人對不起我。』這是曹操最受後世批評的地方——陰險狡詐。

閱讀心得

【第118篇】兵變・人質・漢獻帝。

東漢末年，呂布殺掉老奸賊董卓後，大權就由發動政變的王允控制著。

政變成功後，呂布勸王允把董卓剩下的殘餘部隊殺光，以免留下禍患，王允不答應。董卓的部下請求赦免，王允回答：『今年已經大赦過了。』遲遲不肯再發大赦令。

究竟王允心裡怎麼打算，誰也不知道。再加上政變之後，謠言四起，老百姓紛紛猜測董卓的涼州兵難逃一死。於是，董卓的部將個個不安。

其中有一個叫李傕的，率先發動閃電兵變，攻進了長安城，見人就殺，城裡哭聲震天，亂成一團。李傕等在牆下高呼：『交出王允！』『我們要爲董卓報仇！』

王允沒有辦法，只得步下城門，想到街上去安撫亂兵。不料走到城門口，就被亂兵所殺。由於他缺乏果斷力，不但自己賠上了性命，百姓遭到殘殺，也害得漢獻帝落入貪暴的李傕手中。

李傕等人本是土匪，沒有治理政事的能力，更糟糕的是從興平元年的四月到七月，整整三個月，沒有一滴雨，旱災加上缺糧，最後落到人吃人的悲慘地步。將領們彼此爭權，互相戰鬥，李傕挾持著獻帝當人質，燒宮殿，劫官舍，鬧得一塌糊塗。

由於李傕沒法子服衆，他便用『下毒』的方式除去有野心的同僚。

有一次，李傕在會議上殺掉樊稠，又邀請郭汜赴宴，郭汜回到家，腹痛如絞，郭汜的太太道：『糟了，一定是中了毒，趕快，趕快拿糞汁來灌。』灌得郭汜吐了一地，氣得帶兵去找李傕算帳，兩人就在長安城中廝殺起來。

此時，獻帝左右的宮人餓得直不起腰來，獻帝只好向李傕要求五斗白米，五副牛骨給下人充飢，李傕粗裡粗氣的說：『這個時候哪有白米？』派人搬來五副腐爛的牛骨，那牛骨臭得要命，獻帝捏著鼻子要發脾氣，看看李傕兇狠的模樣，不敢吭聲，只有把眼淚往肚子裡吞。

後來，李傕認爲扣留著獻帝沒多大作用，不如放獻帝回洛陽。獻帝正滿懷欣喜離開虎口，李傕馬上後悔了，覺得劫持著天子能增加自己的威望，又派著大軍來追。

獻帝危在旦夕，有人建議『渡過黃河，到河東去避難吧！』可是，河岸有十多丈高，無法下去登船。情急之下，拿著一匹白絹，叫人背著獻帝，用絹兜著，慢慢兒自岸上放下去。

許多侍從連滾帶爬也掉進了河裡，都想爬進船隻，爲了怕船超載，獻帝的侍衛拿刀猛揮。許多正趴著船邊準備翻進船身的侍從，手指都被剁掉了，一時之間，河中漂浮著無數的手指頭，悲慘極了。

獻帝一行，千辛萬苦到了河東，河東太守差人送了點食物來，這才暫時歇一口氣。獻帝爲了答謝他的美意，封河東太守爲侯爵，當然這只是一個空頭銜。

聽説皇帝駕到，許多土匪盜賊爭先恐後前來求官，獻帝不能不答應，問題是官有官印，在匆忙之間，卻又來不及刻印，臨時找了許多石頭，用錐子刻了一些官名應付過去。一時之間，廚師、走卒也都成了官兒。

因爲找不到像樣的房舍，獻帝住在一間由籬笆圍起來的破房子裡面，連個大門都沒有，就在院中的空地上舉行上朝。朝會的時候，士兵們圍坐在籬笆前面，你推我擠，嘻嘻哈哈，不時有人被推倒，又惹得一場大笑，絲毫沒有莊嚴肅穆的氣氛。

獻帝在河東地方待了兩年，直到建安元年二月，才由河內太守張楊派人迎接回到洛陽。

獻帝進入洛陽一看：宮室都被燒得差不多了，街屋全毀，一片瓦礫，洛陽只剩下幾百戶人家。他走進一間尚書郎的房舍，赫然發現牆壁間『咚』的跌出一具屍體，原來尚書郎是活活被餓死的！眞是『覆巢之下無完卵』。

獻帝在洛陽的生活十分困苦，皇宮殘破，宮內野草長得比人還高，到了夜晚，有狼和狐狸出沒，眞是鬼哭神嚎，恐怖極了。然後，這只是心理上的壓力，更嚴重的是沒有食物。洛陽被董卓放火焚燒，簡直成了廢墟，人煙稀少，沒有糧食生產，各地的地方官又不把稅收的糧食送來，所以獻帝和隨從的官吏們每天都面臨斷糧的恐懼。

面對這種困境，獻帝只有一個辦法——發詔書給各地的刺史（刺史是東漢末年最高的地方行政長官），要各地刺史趕快到洛陽來援救。

可惜獻帝已經是一個沒有權威的皇帝，獻帝的詔書送到各地，刺史們都不加以理會，也不肯派人送糧食到洛陽，他們已經割據一方，希望漢朝皇帝早一點死掉，後繼無人，漢朝便自然結束，他們就可以據地稱王了。不過，漢獻帝左盼右盼總算沒有絕望，還是有一隊救兵來了，那就是兗州刺史曹操。

還記得被董卓捉拿，連夜逃出長安的曹操嗎？如今他統治了兗州，駐兵許昌。接到獻帝的詔書，曹操立刻領兵到洛陽，曹操以洛陽殘破無法建都爲名，把漢獻帝挾持到了許昌，自封爲武平侯，從此曹操挾天子以令諸侯，好不威風！

閱讀心得

【第119篇】

劉備怒打督郵。

三國中大家最熟悉的人物應該是：劉備、關羽、張飛。

劉備，字玄德，是漢景帝中山靖王的後裔，因爲父親去世得早，家道中衰，跟著母親販賣草蓆過活。

劉備家的房舍東南角長了一棵桑樹，有五丈多高，遠遠望去，樹頂像個車蓋，非常陰涼。劉備小時候，經常和小朋友在樹下玩耍嬉戲。由於他很有領導才能，每次玩遊戲，大家總推選他帶頭。

有一回遊戲時，劉備仰著頭指著桑樹說：『哼，我將來長大以後，要當天子，乘這種有車蓋的大車。』他的叔父在旁聽見了，連忙喝斥道：『小孩子不要亂講話，說這種話可是要殺頭的。』

劉備不太喜歡念書，愛好狗、馬、音樂，也喜歡把自己打扮得漂漂亮亮的，衣著光鮮，引人注目。他個兒很高，有七尺五寸，手長得特別長，直到膝蓋；耳朵很大，直垂到肩，一轉頭便能看到自個兒的耳垂；沉默寡言，不喜歡多說話，喜怒不形於色，臉上沒有什麼表情。爲人講義氣，夠朋友，最愛結交英雄豪傑。

漢靈帝末年，黃巾賊作亂，各州郡招募義兵平亂。劉備的家鄉張貼榜示，召募義軍，劉備也加入了這支隊伍，因而結識了關羽、張飛。

關羽，字雲長，傳說他髯長二尺，臉色如棗，丹鳳眼、臥蠶眉，相貌堂堂，威風凜凜。因爲地方上土豪欺壓善良，他看不過去，一怒之下把土豪給殺了，只有逃離家鄉，亡命天涯，正好遇上機會，投効軍旅。

至於張飛，原本是個殺豬的屠夫，長得豹頭環眼，燕頷虎鬚，聲若巨雷，勢如奔馬，也想破賊安民，爲地方盡一份力量。

他們三人志趣相投，一見如故，馬上成爲最要好的朋友，簡直比親兄弟還要親密。這時，剛好碰到自中山地方來的兩個大商人，一個叫張世平，一個叫蘇雙，每年都趕著一批馬到北方去販賣，如今碰到黃巾賊作亂，不得已只好折回。

這兩個商人深深了解國家不太平，人民無法安居樂業的道理。遇到了劉、關、張，對他們想爲國効力的志願非常嘉許，慷慨的贈送了五十匹良馬、五百兩金銀以壯聲勢。

不久，黃巾賊來犯，這些披頭散髮，以黃巾包頭的土匪拍馬舞刀的來犯涿郡，劉備率領的一支軍隊，士氣旺盛，立刻將黃巾賊驅出境外。因爲劉備有軍功，朝廷派他擔任安喜縣尉。

由於靈帝寵信太監，有十個宦官擅權亂政，號稱十常侍之亂，十常侍用『賣官』的方式索取紅包，因此沒有送紅包的都受到排擠。果然朝廷下了一道命令：凡是因爲軍功而做官的，一律淘汰。

劉備在安喜當了一個月的縣尉，勤政愛民。這時，突然聽到朝廷這項命令，心中忐忑不安，擔心自己也在淘汰之列。不久，督郵（是地方監察官）因事到縣城裡來，劉備求見督郵，督郵託病不肯見，劉備氣得牙癢癢的，關羽、張飛都是性烈如火，當然更是氣不過。

劉備衝了進去，一把揪住了督郵的腦袋，亂打亂捶，直打得督郵靈魂出竅，喘息著說：『你，你……你怎麼可以打我，我正奉了命令要免你的職，你小子竟敢動手，該當何罪？』

『很好，我也正奉了朝廷的命令要捉拿你這個貪官汙吏。』接著，劉備不由分說把督郵拖了出去，用柳條當繩索，把督郵給綁了起來。並且，拿起柳條就開始猛抽督郵，一連打斷了好幾根柳樹枝。

督郵嚇得渾身發抖，哀聲討饒。

劉備打了一陣，氣消了大半，拍拍手道：『好吧，饒你一條狗命。』

於是，劉備把安喜縣尉的印綬往督郵的脖子上一掛說：『這印綬拜託你交還。』說罷揚長而去。

劉備雖然出了一口氣，自知打了督郵，長官必要追究。開始了亡命生涯。

閱讀心得

【第120篇】

諸葛孔明隆中對。

劉備把督郵結結實實的揍了一頓，將印綬往督郵脖子上一掛後開始亡命。他曾奔往公孫瓚處，做了平原相。在建安六年公孫瓚被曹操打敗後，劉備再投奔荊州刺史劉表，寄居新野。

劉備在新野一晃便過了六年，壯志難伸，非常的不如意。有一天，劉備去上廁所，回到座位上時，滿面淚痕，劉表驚訝的問道：『咦，你怎麼啦？』

『哎，我生平不離鞍馬，一向筋骨強壯，如今腿上的肥肉已鬆垮垮的，老囉！老囉！』劉備有説不出的垂頭喪氣。（這便是成語『髀肉復生』的出處，形容很久不騎鞍馬，長出許多贅肉。）

劉表安慰他道：『賢弟快不要這麼説。還記得在許昌的時候，你與曹操煮酒論英雄，曹操曾説過，現在天下當得上英雄二字的只有你們兩人，你難道忘了嗎？』

其實，劉備哪裡會忘了呢？只是年過四十七，一無所成，不免有惆悵失意之感。在內心深處，他還是想大展鴻圖，爲國家轟轟烈烈做一番事業的。因此明查暗訪，到處探聽賢人。

有一天劉備碰到一位襄陽名士司馬徽，人稱爲水鑑先生，博學多才，

他告訴劉備，當地有兩位奇才，號稱『伏龍鳳雛』。所謂『伏龍』，指的是諸葛孔明，所謂『鳳雛』呢，指的是龐士元。

後來，劉備又遇到一位賢人徐元直，劉備很欣賞他。徐元直卻謙虛的說：『我的學問，比起諸葛孔明，差得太遠太遠了。』

一連聽到兩個不輕易誇人的賢者誇獎孔明，說得劉備心動不已，連忙請求徐元直幫忙介紹，徐元直正色的說：『孔明先生怎麼可能來找你，要請，得你自己去請才行。』

這孔明先生便是歷史上最受人敬仰的諸葛亮。孔明是他的字，當時不過二十來歲，年少英俊，有學問，有抱負，更想為天下百姓謀福利，可惜沒有機會出來做事。他買了幾畝薄田，蓋了一間草廬，隱居在隆中這個地方，耕田讀書，倒也悠閒自在。

對於從政的榮華富貴，孔明是一點兒也不羨慕。然而看到國家衰亡，百姓流離，孔明心中有說不出的難過。他常常席地而坐，抱著膝蓋大談理想及抱負，自比爲管仲、樂毅。旁人都笑孔明狂妄自大，目中無人，孔明只是笑笑，懶得辯白。

劉備準備了幾色厚禮去拜訪孔明，一連去了兩回都撲了個空。第三次要出發的時候，張飛不高興了，他說：『我看，今日不用大哥去了，我只要一條麻繩就可以把這個煩人的村夫綁來。』

『胡說，不可無禮。』劉備斥責著，依舊恭恭敬敬的去拜見孔明。

他們一行人到了草廬，這一回，運氣不錯，孔明在家。然而應門的小童說：『對不起，先生在睡午覺。』

『什麼，在睡午覺？』張飛一聽火大極了：『這傢伙如此傲慢，待我到草堂後放一把火，看他起來不起來？』張飛的吼叫立刻被劉備阻止，張飛沒辦法，只有耐心的等。

孔明這個午覺睡得眞長，足足睡了一個時辰。他並非有意怠慢來客，只是想試一試劉備的誠意。中國自古有一個優良的傳統，那便是『禮賢下士』，對有學問的讀書人一定要尊敬他，絕對不可吆來喝去的。

等了半天，孔明終於出來了，他身長八尺，面如冠玉。因爲滿腹詩書，氣質好，風度佳，有神仙之概。劉備一見便爲孔明的風采所吸引，深深下拜道：『現在漢室傾危，小人當道，我不自量力，有心爲國効力，請問先生有何計策？』

孔明道：『自從董卓造反以來，天下豪傑並起。曹操力量比不上袁紹，竟能打敗袁紹，不但是天時，更是曹操善用計謀。現在曹操已有百萬大軍，而且挾持著漢獻帝，力量無與倫比，你不要在這時與他爭風頭。孫權據有江東，地勢好，人民又擁戴他，你也不要想奪他的地盤。至於你現在暫住的荊州之地，北據漢沔，東連吳會，南通巴蜀，地勢險要，沃野千里，是天府之國，漢高祖正是以此爲根據地擁有天下的。』

這番話說得劉備的眼睛都亮了，似乎看到一線生機。孔明又繼續說：『至於在蜀（四川）的劉璋，太過軟弱，在漢中的張魯不知體恤百姓，將軍你既是漢室後裔，注重信義，求才若渴，如果你能跨有荊（湖北）、益（四川）二州，安撫四周夷人，和孫權結好，等待時機成熟，那老百姓還有不備好酒菜歡迎將軍的嗎？果眞如此，則霸業可成，漢室可興。』

諸葛孔明的這一番話，把天下大勢分析得頭頭是道，並且爲劉備指出了未來的幾個發展步驟：

首先是設法奪取荊州，再奪取益州，以荊州和益州作爲基地，進而攻取漢中，安撫四周的外夷，和東吳的孫權聯合結盟，共同對抗北方的曹操，等到時機成熟，北伐中原，完成統一大業。

劉備對諸葛亮的分析，不但佩服得五體投地，而且好像黑夜中出現了一盞明燈，使自己的前途有了目標，不再像沒頭蒼蠅一般亂闖，所以劉備常說：『我得到孔明，彷彿魚得到水。』

諸葛孔明對劉備所說的一番話，歷史上稱之爲『隆中對』。此後，劉備事業的發展就是依照『隆中對』的步驟去做。

閱讀心得

【第121篇】

禰衡擊鼓罵曹操。

大家都聽過孔融讓梨的故事，這一回，還要說一個與孔融有關的故事：話說曹操挾持著漢獻帝，威震天下，朝廷裡文武百官無不唯命是從，只有一個人不肯向曹操屈服。這個人就是孔融。

曹操當時禮聘孔融爲官，他的目的是想博得一個『敬重讀書人』的美名。不料孔融入朝以後，處處與曹操爲難，使得曹操大爲不悅。

孔融對待朋友熱情而誠懇，他的好友蔡邕（蔡伯喈）被王允殺死以後，孔融日夜思念不已。一次，偶然發現有位衛士長得與蔡邕一般無二，他每次宴會都邀請衛士加入，向人稱道『雖無老成人，且有典型在』。

孔融最反對在背後道人長短，他看到朋友有過錯，總是當面指正『你這樣做很不對……』絕不亂給人戴高帽子。看到朋友做了好事，孔融比自己做了好事還要興奮。雖然孔融的做法才是眞正的『夠朋友』，但是一般庸俗的人卻不能接受孔融的做法。他們喜歡聽恭維的話，討厭別人的批評。因此孔融的好朋友不多，但都是孔融眞正的知己，並且和孔融一樣博學多才，嫉惡如仇。

在孔融四十歲的時候，他認識了一個二十四歲的青年人禰衡，禰衡聰明絕頂，文章好，口才佳，孔融很愛他的才華，特別把他推薦給曹操。

禰衡向來看不起曹操，自稱有『狂病』不肯前往。禰衡在外面常常說一些看不起曹操的話，這些話傳到曹操的耳朵裏，曹操氣不過，想殺掉禰衡，又怕天下人非議，不敢動手。

後來，曹操聽說禰衡善於擊鼓，於是曹操大宴賓客，在筵席上命禰衡爲鼓吏助興，好來羞辱禰衡。

舊的鼓吏對禰衡說：『按照規矩，擊鼓之前要先換上黃色的緊身衣服，表示尊敬。』

禰衡聽了，眼皮也不抬。穿著舊衣，拿起鼓槌便唱起了『漁陽三撾』，他唱得蒼涼悲壯，客人們聽了都慷慨流涕，唱著，唱著，他走到了曹操跟前。

左右的人都叫道：『鼓吏怎可不換上擊鼓應當穿的衣服？』

禰衡大聲地叫：『好！』動手把自己身上的衣服一件一件脫下來，脫得一絲不掛站在眾人面前，賓客們嚇得紛紛用衣袖遮面。

『廟堂之上，何太無禮？』曹操叱責道。

禰衡冷笑道：『欺君罔上才叫無禮，我不過表現我是清白之身罷了！』說著，眼光往曹操上下這麼一掃，有說不出的輕視。

曹操氣昏了：『你清白，那麼誰汙濁？』

禰衡正氣凜然道：『你不識賢愚，是眼睛汙濁；你不讀詩書，是嘴巴汙濁；你不接納忠言，是耳朵汙濁；你不通古今，是身體汙濁；至於你一心一意想篡漢，嘿嘿，是你心地汙濁！』

禰衡的話一字一句像槍砲般直射人心，曹操彷彿被毒蛇咬了一口，全身痙攣。因爲曹操妄想篡漢的野心，雖然人人皆知，卻還沒有任何人敢公然批評曹操的。

曹操很想把無禮的禰衡殺掉，考慮了半天，回過頭來對孔融說：『殺掉禰衡這混帳小子，對我來說，比殺一隻麻雀、一條老鼠還要簡單。但此人在社會上還有一些名氣，殺他對我不利，我把他送給劉表算了！』

於是，禰衡便到劉表所在地——荊州。

禰衡出發的那一天，許多文人雅士相約在許昌的城南路旁安排酒菜，爲禰衡送行。

但是，這些人深知禰衡的脾氣常常目中無人，不給人面孔，很怕禰衡會做出什麼令人難堪的事。他們等了又等，發現禰衡還沒有來。有人說：『禰衡遲到，等一會兒他來了，我們每個人都坐著，別站起來，殺一殺他的傲氣。』

不久，禰衡來了，眾人都故意不站起來，禰衡望望大家，坐下來，開始號啕大哭，大家被禰衡的舉動嚇了一大跳，問禰衡怎麼一回事？禰衡說：『坐著的是墳墓，躺著的是屍體，我處在墳墓與屍體之間，怎能不悲傷痛哭呢？』

眾人被禰衡一說，心裡十分懊惱，可是，對這位名士也眞是無可奈何。

曹操本想羞辱禰衡，卻反被禰衡羞辱了一番，心中懊惱不已，把這股怨氣都發在孔融身上。編了一套罪名把孔融處死，爲了斬草除根，孔融全家都被斬首。

孔融有兩個小孩，哥哥九歲，妹妹七歲，寄居在友人家裡，有一天，兄妹倆正在下棋，也被曹操的手下殺掉了。

閱讀心得

【第122篇】

重義氣的張飛與趙子龍。

自從曹操殺了孔融以後，朝廷裡沒有人敢和他意見相左。曹操便在獻帝建安十三年，大舉南征荊州，渴望完成他統一天下的野心。

荊州的地勢險要，是三國中兵家必爭之地，當時據有荊州的劉表，沒有積極的進取心，只知按兵不動。曹操的軍隊七月出發，八月間劉表因病暴卒，劉表的部下擁立劉表的兒子——劉琮爲領袖。

九月間，曹操的十萬大軍浩浩蕩蕩抵達了荊州邊境，荊州的軍民慌成一團。劉琮召開緊急軍事會議，將領們一致認爲，敵我強弱懸殊，只有投降。

劉琮立刻豎起了白旗，便宜了曹操大軍，不費一兵一卒，輕鬆容易的開進了荊州。

直到曹操大軍迫近，寄居在荊州的劉備才得到這個壞消息，匆匆忙忙領著自己的部隊逃亡。

由於曹操以前在徐州殺了不少百姓，手段殘酷。而劉備以仁愛著名，荊州的人民都哭泣著說：『我們就是死，也願意跟著您死。』於是扶老攜幼，將男帶女，哭哭啼啼隨著劉備渡過漢水。

劉備帶領著十多萬軍民，數千輛車輛，逃難的人羣中有挑擔的，有背

負的，隊伍進行得非常緩慢。

路過襄陽時，劉備跪在劉表的墓前，哭哭啼啼的哀號：『弟無德無才，辜負了您的期望，這全是我劉備的過錯，和老百姓無關，但願您在天英靈，拯救荊州可憐的人民。』在旁的軍民也一起嚎啕大哭。

這時，得到軍報，曹操大軍已到了樊城。將領們苦勸劉備：『您帶著幾萬難民，拖拖拉拉，一天只能走十幾里，曹操的軍隊馬上要到了，不如先暫時拋棄百姓爲上。』

劉備長長嘆了一口氣：『老百姓相信我，歸附我，我怎麼忍心丟棄他們？』百姓們聽了，無不感動得哽咽。

曹操到了襄陽，聽說劉備已經逃了。急忙親自率領了精兵五千，一天一夜行了三百餘里，趕上了劉備。

當時正是秋末冬初，涼風刺骨，只聽得西北喊聲驚天動地而來，轉眼間，曹操追殺而至，劉備全無招架之力，完全潰敗，十多萬的軍民，幾乎都成了俘虜。

劉備的妻、子被亂軍衝散，劉備與諸葛亮等抄小路逃亡，張飛在後壓陣，經過長坂溪，曹操的軍隊追上了，只見張飛倒豎虎鬚，圓睜環眼，手拿著蛇矛，騎在馬上大吼：『我是燕人張翼德（張飛字翼德），哪個敢與我一決死戰？』

張飛的聲音特大，聽來恐怖萬分。又見橋東似隱隱約約有人頭鑽動。曹操生性多疑，遲遲不敢前進。

『來啊，我張翼德在此，哪個敢放馬過來？』曹操見張飛胸有成竹的氣概，心中有些害怕。張飛發現曹操大軍有後退的趨向，故意把矛一揮，睜目怒喝：『戰又不戰，退又不退，什麼意思？』話沒說完，曹操大軍已嚇得肝膽碎裂，望西逃奔。

靠著張飛的勇猛，劉備得以逃脫，直到喊聲逐漸消失，劉備才吐口氣，清點人馬。一看之下，趙子龍不見了。

此時，有個小兵身上插了數箭，踉踉蹌蹌的趕來，口中道：『趙子龍投奔曹操去了！』

『胡說，趙子龍是我的好朋友，他不會的！』劉備叱責道。

小兵又說：『怎麼不會，他見我們窮途末路，或者投奔曹操，求取榮華富貴去了！』

劉備還是不相信，他堅定的說：『子龍與我共患難，心如鐵石，絕非富貴所能動搖。』

正說話間，只見趙子龍懷抱著劉備的幼子——阿斗，身上的袍衣染透了血漬，一拐一拐的走到劉備面前，劉備的夫人也被趙子龍救出。劉備攙扶著趙子龍，忍不住流下感激的淚來。

張飛與趙子龍倘若改投曹操，準有享不盡的榮華富貴，自現代人現實的眼光看來，那才是『划算』，才『不吃虧』，但人的行爲常受觀念的影響，中國古人提倡『義』而貶低『利』。一旦『義』與『利』要從中選擇時，寧可取『義』而捨『利』，所以『見義忘利』被公認爲美德，『見利忘義』被公認爲罪惡，這是我們中國人最了不起的精神。

閱讀心得

【第123篇】孔明的激將法。

自從劉備被曹操打得落花流水之後，退到了夏口。此時，在江東地方的孫權，聽說荊州的劉表去世，特派大將魯肅前去弔喪，恰好與劉備等相遇。

魯肅對劉備說：『現在曹操的大軍馬上就要南下，孫權將軍擁有江東六郡，兵精糧足，你不妨派人結好孫權，共圖大業。』

聯合孫權抗拒曹操，正是諸葛亮的計謀，於是諸葛亮跟著魯肅到了東吳。

兩人上岸時，魯肅扯著諸葛亮的袖子道：『待會兒見了孫將軍，你可不能老老實實的告訴他曹操兵多將廣，免得他害怕。』

諸葛亮抱一抱拳道：『謝謝提醒。』

魯肅把諸葛亮接到館驛安歇以後，就去找孫權。他到了堂上一看，大家正議論紛紛，原來，曹操的挑戰書剛到，書中說：『我最近南征，劉琮不戰而降，現在我準備了八十萬大軍，想與將軍會一會。』

挑戰書的口氣相當狂妄，孫權看了，非常生氣。朝廷大臣都很緊張，其中一個長史張昭說：『曹操是豺狼，現在漢獻帝在曹操手裡，他最近又新得了荊州，我們哪裡是曹操的對手呢？不如投降算了。』

『對，對，對。』大夥兒七嘴八舌的都贊成，只有魯肅緊閉著嘴不說話。

第二天，諸葛亮去見孫權之時，魯肅又再三叮嚀：『大家都怕曹操，你千萬不要說曹操厲害。』

到了朝廷，東吳的文武大臣都已好端端坐在那兒了，他們早猜到諸葛亮是來當說客的，心裡頭很反感。不約而同以劉備最近吃了一個敗仗爲題目，用尖刻的話諷刺諸葛亮。

諸葛亮也不生氣，不亢不卑的把話頂了回去，口若懸河，對答如流。他一面說話，一面看孫權，見孫權生得堂堂威武，心中暗暗在想：『此人相貌非常，只能用激將法。』

當孫權問起曹操的兵力時，諸葛亮毫不掩飾一五一十的回答：『海內大亂，將軍起兵江東，劉備起兵漢南，與曹操共爭天下。如今曹操已平定中原，南破荊州，威震四海，將軍若認爲可以與曹操抗衡，就與曹操絕交，否則不如早日投降，免得大禍臨頭。』

『照你這麼一説，那劉備爲什麼不投降曹操？』孫權眉毛一挑，頗爲不悅。

諸葛亮立刻正色道：『人各有志，田橫不過齊國一壯士，還能守義不屈。何況劉備是皇室後裔，英才蓋世，人所仰慕，人民對他，彷佛大水之歸海，他怎麼可以和你一樣隨便投降？』

這番話把孫權氣得直跳脚，大聲的説：『哼，我孫權哪裡會投降，但若要抵抗曹操，非和劉備合作不可，不知劉備還有多少兵力？』

諸葛亮説：『關羽的水師不下萬人，曹操的軍隊遠來旅途勞累，加上北方人不習慣打水戰，只要精誠團結，我們可以打勝這一仗。』

孫權聽了，頗爲心動，急著去找周瑜商量。

周瑜是孫權的愛將，年少英俊，風流倜儻，而且對音樂很在行，每次宴會，他只要聽到音樂奏錯了，一定頻頻回頭，因此當時的人説『曲有誤，周郎顧』，顧就是回頭看，以後聽歌人們稱之爲『顧曲』，『顧曲周郎』的成語就是這麼來的。

東吳有一對出色的姊妹花——大喬、小喬。大喬嫁給孫權的哥哥，小喬嫁給周瑜，風流才子配上絕色佳人，這段英雄美人的故事是後代文學家最喜歡引用的題材。

周瑜的看法與諸葛亮相同，他很有把握的說：『曹操是來送死的。』孫權一聽，信心大增，拔出佩刀『咔』的一聲，便把案几砍成兩段：『誰敢再說投降曹操的混帳話，有如此案！』

在東吳的一片投降聲中，諸葛亮竟能扭轉情勢，這是他富於機智、善於利用孫權心理的結果。誰說『弱國無外交』？

閱讀心得

【第124篇】

精采激烈的赤壁之戰。

曹操自從向孫權下了挑戰書，立即率領了大批艦隊，浩浩蕩蕩順江而下，與周瑜的水師相遇於赤壁（湖北嘉魚縣境）。

他的軍隊和周瑜的兵艦一交鋒便吃了一個小敗仗，原來北方的軍士，不習慣坐船，一路上潮起潮落，波濤翻滾，顛簸得嘔吐不已，站都站不穩，哪兒有力氣打仗呢？

爲了應付軍士們的『暈船病』，曹操想了一個辦法，他將大船、小船搭配起來，首尾以鐵環相連，上面鋪著寬木板，不但可以走人，連馬都可以在甲板上昂首闊步，再大的風浪也不怕了。

曹操看到軍威大盛，得意得哈哈大笑。這天晚上，月色皎潔，明亮如畫，曹操率領著文武百官在甲板上飲酒作樂，喝得酩酊大醉，他走到船邊，斟滿了酒，灑入江中，昂頭道：『我破黃巾、滅袁術、收袁紹，也不辜負了堂堂大丈夫的志向！』

忽然，一隻烏鵲從岸上被驚起，繞著樹轉了幾圈，『啪啪啪』向南飛去，曹操觸景生情，嘆了一口氣道：『我做一首歌，你們和著唱。』

歌詞是『對酒當歌，人生幾何？譬如朝露，去日苦多……』形容人生的富貴如朝露般短暫，不如及時行樂。這首『短歌行』氣魄雄偉，代表著

魏晉浪漫文學，曹操雖是個險惡的大梟雄，他的文才卻也是歷史上公認的。

周瑜的軍隊在南岸，遠遠看到曹操『示威』的軍容，內心十分憂慮。周瑜手下的大將黃蓋建議道：『如今敵眾我寡，難以久戰。曹操的軍隊首尾相連，正好可以用火攻。』

『對，這是條妙計！』周瑜不禁大聲叫好。接著周瑜、黃蓋又交頭接耳，商量了一個詐降的辦法。

黃蓋派了一個密使，偷渡到北岸，說自己想投降曹操並且獻上糧草車仗，表示効忠。

曹操原是個多疑的人，但是此番前來攻打孫權，曹操有十足的把握，又風聞孫權的部將早已嚇得屁滾尿流，只是周瑜等少數幾個人自不量力，硬要以雞蛋碰石頭，這樣看來，軍中發生兵變，黃蓋轉投曹操，當然不是沒有可能。

在建安十三年的冬天，西北風颳得冷冽刺骨，卻正巧有一天東南風大作，波濤洶湧，曹操看著江水，有如萬道金蛇，翻波戲浪，黃蓋的船正快速的飛駛過來，曹操笑嘻嘻的說：『黃蓋正好來降，眞是老天爺幫忙。』

正當曹操拍手歡呼，鼓掌叫好之時，突然，黃蓋率領的二十艘戰鬥艦，轉眼之間，成了火船，原來，黃蓋的船裝滿了乾燥的稻草，遇火即燃，像是一隻火船。黃蓋一招手，這二十艘火船趁著東南風威，如箭般衝入西北方曹軍的艦隊之中。

曹軍將士們擠滿在兵艦甲板上，準備歡迎黃蓋來降，忽然看到這個情景，都驚愕地問：『怎麼一回事？』

頃刻之間，船中大亂，黃蓋的火船撞上了曹軍兵艦，使曹軍兵艦也燒起來，烈焰漫天，又因爲曹操的船都被鐵環緊緊鎖住，無處逃躲，只見江面上，火逐風飛一片通紅，曹軍軍營中不斷傳來慘叫聲、馬嘶聲，船上幾十萬甲兵完全潰敗，劉備與周瑜又率著精銳部隊追趕而來。

曹操率領著一些殘兵敗將，繞路從華容道逃命，偏偏道路泥濘不堪，加上大雨傾盆，溼透了衣甲，曹操便命老弱殘兵用草填路，然後騎馬踏過，可憐的老弱殘兵，被馬踐踏，溺死在泥中的不計其數。

赤壁之戰，曹軍大敗，威勢受挫，曹操不敢再南下，奠定了日後曹操、孫權、劉備三分天下的局面。這是歷史上有名的一場大戰役，也可見得，只要善於利用天時、地利、人和，以少勝多是絕對有可能的。

（各位讀者或許會發現，我們平常所熟知的『周瑜打黃蓋的苦肉計』、『草船借箭』、『孔明借東風』、『華容道上曹操、關羽相見』吳姐姐都沒有寫，因爲這些正史上都沒有記載。當然野史上記載的，三國演義所描繪的不是完全沒有可能，不過這些都太玄奇了，爲使各位讀者有一個正確的歷史觀念，不得不略去。）

閱讀心得

【第125篇】

周瑜絕對不小氣。

讀過一點兒三國故事的人大概都知道周瑜氣量很小，他容不下孔明，最後竟然活活被氣死。臨死之前還仰天長嘆：『既生瑜，何生亮？』連叫數聲而亡。埋怨老天爺既然生下了聰明絕頂的周瑜，就不該再來個比周瑜還要聰明的諸葛亮。

其實呢，周瑜不但不小氣，而且氣度寬宏，甚且可以與藺相如媲美哩！那些酸溜溜的話都是小說家編造的。

周瑜字公瑾，英俊瀟灑，風流倜儻，文武全才，口才鋒利，又娶了江南第一美人小喬；英雄美人相得益彰，東吳的人都以周瑜為榮，稱他為『周郎』。後世的大文學家蘇東坡讚美周瑜為『千古風流人物』。

赤壁之戰後，周瑜的名聲如日中天。曹操雖然慘敗，敗得非常服氣，對周瑜的才氣欽佩不已，特派最能說善道的蔣幹來吸收周瑜。

周瑜聽說蔣幹來了，連忙出營帳歡迎：『辛苦，辛苦，你遠涉江湖而來，是來為曹操當說客的吧，哈哈！』

接著周瑜笑嘻嘻的挽著蔣幹到處走一走，巡倉庫，看珍玩，擺上最豐盛的酒菜款待。然後，在席上，周瑜認真的說：『大丈夫立身處世，遇到知己之主，結下君臣之義，骨肉之恩，就該有福同享，有難同當，就是蘇

吳

秦、張儀復生，也不能動搖我的意志。』

蔣幹知道周瑜的意志堅強，說了也是白說，就識趣的閉上嘴，兩人飲酒作樂，直到夜深人靜，蔣幹回去，稟報曹操道：『周郎的雅量，哪裡是言辭所能打動的！』

當時，孫權、劉備聯手打敗曹操後不久，孫權就派劉備爲荊州牧，使劉備、周瑜分頭管理荊州。

孫權爲了表示友好，特別把親妹妹嫁給劉備，結爲姻親。

劉備很高興，歡天喜地和孫夫人拜過天地。到了晚上，劉備滿腔興奮走入洞房，竟發現昏黃的燈光下排滿了刀槍。仔細一看，乖乖，兩旁侍婢個個佩劍懸刀，新郎倌這一嚇非同小可，就差沒有當場昏倒過去。

原來孫夫人自幼習武，性情剛烈，頗有乃兄之風，她手下的『娘子軍』也都身手不弱，使得劉備每入內室，看到那刀槍森列的氣象，都心驚肉跳。這種『政治婚姻』眞是痛苦。

由於劉備雖名爲荊州牧，但不能全部領有荊州之地，使劉備很受壓迫，想以『妹夫』的身分去向孫權多要一些土地。諸葛亮告訴劉備，去京口找孫權不但無用，而且危險，但是劉備不聽，硬是要去闖闖看。

劉備去找孫權理論了許久，談不出結果。此時，孫權接到周瑜的一封密報，信上說：『劉備是個危險人物，他手下又有關羽、張飛等大將，都不是肯長久屈就的人。你該把劉備留在吳國，爲他築宮室，找美女，瓦解他的壯志。否則，此三人得到土地，等於蛟龍得到雲雨，會惹來無窮的麻煩。』

孫權當時認爲，在合力抗曹操時，內部不能再火併，還是放劉備回去了，劉備日後知道這個密報，嚇出了一身冷汗。

周瑜又建議，在曹操力量還未恢復時，發兵西上。孫權也很贊成，沒有想到周瑜在西行之時，忽然一病不起，在建安十五年去世（距赤壁之戰不過兩年），死時才三十六歲。倘若周瑜不是早死，三國的局勢又是不同。

三國演義爲了加強戲劇上的效果，把周瑜描寫得小氣不堪，其實絕無此事。只是他二人各爲其主罷了。

例如東吳有個老臣江普，自以爲年高德劭，看到周瑜年紀輕輕的相當有作爲，心中有些酸味兒，每遇周瑜總不忘諷刺幾句，挖苦一番。周瑜也不跟江普計較，始終對江普非常恭敬。久而久之，江普被感動了，他說：『與周公瑾交朋友，如同飲美酒，不知不覺便醉了。』

周瑜少年得志還能有如此謙讓的風度令人傾倒，因此他死後，東吳的人都傷心痛哭。尤其是孫權流著淚說：『你短命而死，我以後依賴誰呢？』

在正史上，周瑜與諸葛亮並沒有什麼過節，周瑜更絕不是一位小氣鬼。

閱讀心得

【第126篇】諸葛亮的小故事。

在中國歷史上，諸葛亮是光芒萬丈的偉人，他集優秀的政治家、軍略家、外交家於一身，學問、道德、文章都首屈一指，他的一生正足以代表中國人不屈不撓的奮鬥精神。

我國民間自古都很崇拜諸葛亮，甚且爲他蓋了廟（新竹青草湖便有一座），然而一般人看多了戲劇，一想起諸葛亮，總以爲他是不分寒暑穿著八卦袍，手中搖著鵝毛扇的『半神仙』。他能呼風喚雨借東風，會製造自動的木牛流馬，口袋中一掏就是錦囊妙計，可以活活氣死周瑜，也能罵死王朗，這都是受了三國演義的影響。

眞正的諸葛亮雖然足智多謀，可沒有如此玄妙，而且如果以爲諸葛亮代表神機妙算，實在大大抹殺了他的可貴。諸葛亮有學問、有辦法、有理想，是一個標準中國知識份子，這才是諸葛亮了不起的地方啊！

劉備三訪諸葛亮請他出山時，諸葛亮只有二十六、七歲。劉備對諸葛亮非常器重，天天向他虛心求教，食則同桌，寢則同榻。關羽、張飛愈看眼睛愈冒火。

關羽、張飛都是沙場猛將。論年齡比諸葛亮大上一截，論學問，關羽曾讀左傳，張飛寫得一手好字，難怪他們不服氣一個年輕小伙子後來居上，

然而沒有多久，關羽、張飛就對諸葛亮佩服得不得了。

諸葛亮不但有學問，而且能活學活用，分析問題頭頭是道，佈置作戰攻勢，別有一套，最重要的是諸葛亮有原則、有道德。

劉表的長子劉琦也很器重諸葛亮，劉表受了後妻的影響，比較偏愛小兒子劉琮。劉琦三番兩次的來找諸葛亮，請他幫忙代定計策，諸葛亮總是搪塞過去。

一天晚上劉琦請諸葛亮來到了後花園，共同登上了小閣樓，然後命令僕役把樓梯搬走。

劉琦拍拍手道：『好了，現在上不著天、下不接地，你的話直接進入我的耳中，你可以放心的說了吧。』

諸葛亮不願干預旁人的家務事，只淡淡的說：『以前申生留在國內被驪姬害死，公子重耳出奔外國反而安全。』申生、重耳都是被後母迫害的例子。劉琦一聽，頓然領悟，早早離開襄陽去當江夏太守，保住了一條命。

諸葛亮生得一表人才，風采翩翩，他娶的妻子黃氏，傳說中卻是個黃頭髮、黑臉孔的醜婦人。黃氏知書達禮，學問很好，因此不管旁人怎麼批評，他們夫妻始終很恩愛，這也是諸葛亮過人之處。

他的哥哥諸葛謹在孫權的手下做事，孫權想透過諸葛謹拉攏諸葛亮，諸葛亮與諸葛謹卻天各一方，在公事上遠遠保持距離，私下卻有濃厚的骨肉感情，這也是一般人難以做到的，從這些小事，我們可以看出諸葛亮爲人正直忠厚。

蜀國在三國之中是最弱小的，完全靠了諸葛亮的苦心經營，才能夠聯絡孫權，打贏赤壁之戰，據有巴蜀地方，使劉備能在建安二十三年即位爲漢中王。

以後，關羽作戰敗死，劉備痛失愛將，立志爲關羽報仇，大舉攻吳，諸葛亮怎麼也勸不住劉備。劉備果然敗了，敗得非常慘。

回師之後，劉備一病不起，臨死前，他把諸葛亮叫到床前，拍著他的肩膀，哀傷的說：『我何而有幸能得到你來輔佐，建立了帝業，可惜不聽你的話！』

『希望陛下保重身體，爲百姓謀福。』諸葛亮的喉頭也彷彿被堵住，哽咽的說不出話。

劉備一手擦眼淚，一手拉著諸葛亮的手：『你的才能超出曹丕十倍以上，一定能安定國家，建立偉業，我的笨兒子阿斗，如果還能輔佐，就麻煩你教導；倘若實在不成材，你不如自己當成都王。』

諸葛亮一聽跳了起來，手足失措，遍體流汗，在床前叩頭說：『臣將盡力輔佐幼主直到我斷氣那一刻。』直把頭磕得迸出鮮血。

劉備留了一個遺詔給後主阿斗：『你要好好聽丞相的話，把他當你的父親。』不久，劉備去世，享年六十三歲。

閱讀心得

【第127篇】

孟獲服氣了。

自從劉備去世後，諸葛亮忍住悲痛，更加努力建設蜀國，想以此來報答劉備對他的知遇之恩。

朝廷中的大小事件諸葛亮都親自處理，經常到了三更半夜，他還在挑燈批閱那堆積如山的公文。

主簿楊顒看諸葛亮太辛苦了，頻頻勸他道：『治理國家要層層負責，不要把每件事都扛在自己的肩膀上，例如以前西漢的宰相丙吉走在街上，看到路旁有民眾互毆打死了人，他不加理睬；看到一隻牛吐著舌頭喘氣，立刻很著急的問：「這條牛走了多少里路，怎麼喘得這般厲害？」旁人很詫異丙吉關心耕牛不關心百姓，丙吉解釋道：「人民打架自有長安縣令處理，現在天氣還不太熱，牛喘成這個樣子，我惟恐氣候失調有礙農作物生長。」人們這才讚揚丙吉懂得事情的輕重。今天您天天校閱簿書，汗流終日，豈不太辛苦了？』

諸葛亮當然也曉得丙吉的故事，只是蜀國人才缺乏，國事艱難，不得不辛勞些。當然他還是很感謝楊顒，後來楊顒去世，諸葛亮整整哭了三天。

諸葛亮雖然善良仁厚，執法卻相當嚴厲，信賞必罰。有人不以爲然，提出漢高祖劉邦的例子，漢高祖入兵關中，與人民約法三章，使人民大爲

擁戴。諸葛亮搖搖頭：『那是因爲人民受秦朝苛政太久了，今天，我們的國家必須厲行法治才有希望，才能壯大。』

果然，本來是人心消沉、懶惰的蜀地（今四川）在諸葛亮大刀闊斧的整頓下完全變了，變爲物產富饒、人民彬彬有禮的天府之國。諸葛亮最反對赦免罪犯，收買人心，他說：『對人民要有大恩德，不必施用小恩惠，我的心像秤一般公平，不能爲任何人倒向一邊。』

蜀國的四鄰雲南、西康、貴州一帶住了許多蠻人，時常作亂，其中有個叫孟獲的首領最爲強悍，他到處造謠：『官府要你們繳納貢品，要繳三百條黑狗，這些黑狗必須胸部以上全黑；要三千根斷木，每根不能少於三丈。』事實上，當地產的斷木沒有三丈高的。於是，蠻人對這些貢品很反感，紛紛造反。

諸葛亮倒不驚慌，略施小計，就把孟獲擒來，問道：『我今天捉了你，你服不服氣？』

『山野荒僻，道路狹窄，誤被官兵捉到，這如何服？』孟獲忿忿不平的埋怨個不休。

諸葛亮微笑的看著孟獲：『既然不服，我放你回去好不好？』

孟獲沒有料到諸葛亮會放他走，大喜過望。立刻回答說：『你放我回去，我去準備兵馬，咱們再戰一場，共決雌雄！』

『好！』諸葛亮爽快的答應，命令人把孟獲鬆綁，請孟獲舒舒服服吃一頓大餐，再差人把他好好的送了回去。

孟獲回到番地，在部下面前編了一套謊話，說自己如何如何英勇逃出重圍，部下都拍手歡呼：『大王眞了得。』然而沒多久，孟獲又被諸葛亮給逮著了。

這一回，諸葛亮請孟獲參觀營陣，孟獲不屑的說：『以前我不知虛實才運氣不佳，今天看了營陣，原來不過如此而已，我若有機會，不把你們打得慘敗才怪哩。』

諸葛亮沒說什麼，笑嘻嘻的依舊把孟獲放了。如此這般，捉了又放，放了再捉，一直到第七次，諸葛亮正準備再放孟獲走，這一回孟獲不走了，他匍匐的跪在地上，噙著眼淚道：『丞相天威，我不走了。』

『服不服？』諸葛亮仍是那般和藹。

『我子子孫孫世世代代都感念您的恩德，怎會不服？』

諸葛亮又教導孟獲，使他成爲有用的人才，並且把以前所奪的土地，完全還給當地蠻人，也不派兵鎮壓，使當地人感念不已。

閱讀心得

【第128篇】

諸葛亮不濫用寬容。

諸葛亮率軍平服南蠻孟獲以後，積極整軍經武。雖然蜀國在魏、蜀、吳三國中最弱，他仍不顧一切的奮鬥，想要統一天下，報答劉備對他的知遇之恩。

建興五年，魏文帝曹丕去世，明帝曹叡即位，國勢不穩，諸葛亮認爲良機不可失，毅然決定北伐。

出師之前，諸葛亮上書蜀後主劉禪（阿斗），苦口婆心勸後主要自信，要振作，要親近賢臣，遠離小人。他並且一再表示，絕對盡心盡力爲國家効命。諸葛亮的這一篇奏章被後人稱為『出師表』。

這篇出師表，沒有用什麼形容詞，然而字字血淚，使人看了不知不覺淚珠滾滾而下，確是千古流傳的好文章，因此古人說『讀出師表不哭的人，就是不忠。』

此次北伐，蜀、魏雙方都排出了最佳陣容，諸葛亮派遣的是他的好友——蜀中大將馬謖。

馬謖有才幹，有氣度，喜歡談論軍事，和諸葛亮的交情很好，兩人經常一談就是一個晚上。諸葛亮攻打孟獲前，馬謖建議『用兵之道，攻心爲上，攻城爲下；心戰爲上，兵戰爲下。』後來，諸葛亮果然用七擒七縱之

法把孟獲整得心服口服，死心塌地，馬謖功不可沒。

此次北伐魏國，諸葛亮本來已有萬全的部署。誰知道馬謖自以爲才高一等，不聽諸葛亮的調度，把軍隊駐紮在山上。

大將王平勸馬謖：『不行啊，我們不可以捨水上山，這樣會惹出麻煩的。』

馬謖固執得很，相應不理，結果被魏國軍圍困在山上，切斷了水道，士兵們沒有水喝，只有投降。而所有已經歸降的郡縣，又紛紛叛變。

諸葛亮非常生氣，把馬謖逮捕下獄。這時，諸葛亮想起劉備生前常說：『馬謖這個人言過其實，不可以重用。』是有道理的。

許多將領爲馬謖說情，馬謖卻自知非死不可，他在監獄裡寫了一封信給諸葛亮：『明公（指諸葛亮）待我像兒子，我看明公有如父親，但願我們的交情仍在，我就是死了在黃泉路上都感激您。』

馬謖出殯時，十萬多民衆痛哭流涕，諸葛亮親臨主祭，哭得比誰都傷心、都難過。他還爲馬謖照料遺孤，辦理後事，凡是做得到的，無不盡心去做。

此時，大將蔣琬見了諸葛亮哭得兩眼通紅，很不以爲然說：『天下還沒有安定，倒先把功臣殺掉了，這算什麼？爲什麼不寬容些？』

『唉，』諸葛亮悄悄揩去眼淚道：『正因爲天下未定，四海分裂，如果隨便寬容，不理會法令，拿什麼維繫人心？』

諸葛亮不但處罰了馬謖，而且堅持要處罰自己，上書請求貶職三等。

在旁人看來，諸葛亮連性命都不顧，日日夜夜爲國家操勞，馬謖不聽命令，這是馬謖的錯，與諸葛亮有什麼關係？

但是，諸葛亮認爲，馬謖是他用的，他有責任。後主劉禪拗不過諸葛亮，把他降爲右將軍。將士們都爲諸葛亮的守法精神所感動，個個奮勉，不久，蜀國又士氣大振。

由於諸葛亮賞罰公平，所以許多被他治罪的人，非但不怨恨，反而很感激。

一個國家一定要上上下下有法治精神，才能保持社會的安定。法律並不是口袋裡的皮球，高興用的時候玩兩下，不高興的時候可以把它收回袋子裡擺著。

閱讀心得

【第129篇】

鞠躬盡瘁死而後已。

從魏明帝太和二年到太和五年之間，諸葛亮曾經四次北伐，在人力、物力缺乏，糧運不繼的情況下，又剛好碰到厲害的勁敵——魏國大將司馬懿。

當諸葛亮屯駐在陽平時，他派了大將魏延率兵南下押運糧草，這個消息不知怎麼走漏了，司馬懿趁著蜀軍空虛，引了十五萬大軍蜂擁而來，準備一舉消滅諸葛亮。

『糟了，魏軍來了，司馬懿率大軍來了！』

一天之中，收到了十幾次飛馬傳來的消息，大家都嚇得驚惶失措。此時諸葛亮身旁沒有一員大將，只有一些文武官員，加上兩千五百名士兵，眼看著就要完蛋。

諸葛亮登上城門，遠遠望見砂石滾滾、塵土沖天，魏兵分左右兩路衝殺而來。他立刻傳令把所有旌旗藏好，誰敢妄出城門、高聲言語的，立刻斬首示衆。

然後把城門大開，命令二十個兵士打扮成百姓模樣，拿著掃把掃馬路。

司馬懿率領著大軍到了城門下，見此光景嚇了一跳，收住韁繩，不敢貿然闖入。他騎著馬看這二十多名士兵，個個低頭灑掃，好像沒看見司馬

懿似的，一言不發，透著讓人害怕的神秘。

『嗯，其中有詐，想諸葛亮平生謹慎，不會冒這個險，我別上他的當。』司馬懿愈想愈感到背脊發涼，一聲令下，左右兩路兵都快馬加鞭的撤退。等到退遠了，再一打聽，諸葛亮確實只有兩千五百名士兵守在城中，根本沒有什麼埋伏，司馬懿懊惱萬分。諸葛亮靠著過人的機警免去了一大災難。

諸葛亮在太和五年撤兵後，中間經過了三年的休養，到青龍二年再次大軍北伐。這一次，他先用一種自己發明的木牛流馬搬運糧食（木牛流馬，是木頭製的簡單運輸工具，有四隻脚，頭插在頸子裏面，還有一個舌頭的機關），以免再因糧運不繼被迫撤退。

諸葛亮進駐五丈原之後，不斷地向司馬懿挑戰，司馬懿則引兵渡過渭水，無論諸葛亮如何挑釁，總是閉門不出相應不理，諸葛亮心裏也急，因爲蜀軍遠道而來，利於速戰速決，拖延戰術，會使蜀國兵糧不繼。

於是，諸葛亮派人拿了女人穿的大紅大綠的衣裙和書信去羞辱司馬懿，意思是說：『你這個人膽小怕事，算不上英雄好漢，只配穿女人的衣褲。』

魏國的將領知道諸葛亮大大羞辱了司馬懿，怒氣沖天，都紛紛要求出戰雪恥，司馬懿被鬧得沒有辦法，只好上表請示魏明帝，魏明帝派了老臣拿著天子的節杖到了戰地，坐在營門外面把守著，誰要不服命令就砍誰的腦袋。

諸葛亮聽說這件事，笑著搖搖頭：『唉，這分明是司馬懿不肯出戰，故意上表以維繫軍心，俗話說得好，將在外，君命有所不受，哪裡有上表請示的道理？』

由於幾次北伐都敗在糧運上面，諸葛亮此次特別撥了一部分士兵下鄉耕田，蜀軍在諸葛亮的教導下，紀律異常嚴整，軍民相處有如一家人，諸葛亮十分欣慰。另一方面，司馬懿怎麼也不肯應戰，乾耗在那兒拖著，心中不免焦慮。

有次，司馬懿派人打聽諸葛亮的近況，那人回報道：『諸葛亮起得早，睡得晚，事必躬親，凡打二十大板以上的責罰，都要親自處決，而所食不過數升。』

司馬懿道：『食少事煩，其能久乎？』這句話是講，諸葛亮吃得少，事情又煩，恐怕活不久了。果然，不久，諸葛亮舊病復發，臥倒在床，一代偉人與世長辭，享年不過五十四歲。

蜀國軍隊聽從諸葛亮臨死前最後一道命令，密不發喪。

司馬懿聽說諸葛亮已死，大喜過望，發動大軍前來攻擊，沒想到蜀軍反而搖旗吶喊，高聲迎戰，司馬懿又趕緊退兵，一邊兒道：『嗯，諸葛亮老謀深算，想用假死騙我出兵，我偏不出兵，不上他的當！』

等到蜀軍從容撤回秦嶺，全軍才戴孝爲諸葛亮辦喪事，老百姓編了一首歌唱『死諸葛亮走生仲達』，仲達是司馬懿的字，司馬懿不好意思的乾笑著說：『我只能料他生，怎能夠料他死？』蜀兵退走後，司馬懿察看諸葛亮生前的營壘佈置，翹起大拇指說：『眞是天下奇才啊！』

『鞠躬盡瘁，死而後已』這是諸葛亮出師表中的名言，也是他一生的寫照，直到他嚥下最後一口氣前，仍在爲國奮鬥，他代表的正是中國人不屈不撓的奮鬥精神。

閱讀心得

閱讀心得

【第130篇】

關雲長義薄雲天。

關公，名羽，字雲長，是河東解人，力氣大，武功強。因爲地方上土豪劣紳仗勢欺人，關羽路見不平，拔刀相助，不小心把人給捅死了，只有逃難江湖。剛好劉備爲了對抗黃巾賊，招兵買馬，關羽前來應募，成爲劉備手下的一員大將。

漢獻帝建安五年，曹操東征，劉備投奔袁紹，關羽在一場戰役之中被曹操逮著了。

此時的曹操聲勢如日中天，連漢獻帝都在他的掌握之中，他很欣賞關羽的本事及不畏艱險的勇氣，就在上朝的時候把關羽推薦給漢獻帝。獻帝既然是曹操的傀儡，曹操說關羽好，他也就下詔任命關羽為『偏將軍』。

接著曹操擺下了豪華酒席，請來謀臣武士當陪客，把關羽捧上了天，還送來大批的綾羅綢緞、金銀器皿。

從此以後，曹操三天一次小宴，五天一次大宴，又挑選了十名美女送上門去，對關羽伺候得無微不至，惟恐有一點小地方疏忽得罪了他。

但是，不論曹操如何笑臉待客，關羽總是悶悶不樂；曹操差人送來好東西，關羽恭敬的說聲『謝謝』，卻沒有興趣打開來看。

曹操沉不住氣了，派了張遼去探測關羽的心意：『曹公待你不夠好嗎？你留在這兒爲曹公效勞，日後有享不盡的榮華富貴，劉備算什麼？何必念念不忘？』

『哎，我知道曹公對我的厚愛，但我受劉將軍的大恩，生死與共，絕對不背叛他，我在這兒不會長久的，等到我有機會報答曹公的恩惠之後立刻離開。』關羽說得斬釘截鐵。

不久，袁紹派了大將顏良來攻曹操，關羽奮然跳上馬鞍，直衝顏良陣地，顏良措手不及，被關羽手起一刀，斬於馬下，關羽俐落的割了顏良的腦袋，拴在馬頸之上。然後飛也似的衝進了河北軍中，如入無人之境，贏得漂亮乾脆。

曹操心裡有數，關羽是留不住了。因此特別重加賞賜，企圖多挽留一段日子。關羽依舊不改初衷，瀟瀟灑灑的跳上了馬揚長而去，留下了讓人眼睛冒火兒的金銀財寶。

『糟了，關羽逃了，快追啊！』

曹操的手下急得前來報告：『不追回來對我們不利。』個個氣急敗壞的喊著。

『不必追了。』曹操揮揮手，心中暗暗欽佩關羽的義氣。

以後，關羽回到劉備軍中，立下了不少汗馬功勞。他因爲曾經被流矢擊中，後來雖然創傷癒合，每到了陰雨季節，骨頭時常隱隱痠痛。

名醫華佗說：『這是矢鏃有毒，直透入骨，如不早點醫治，此條手臂就沒有用了！』

關羽面不改色伸出手臂，華佗取了尖刀割開皮肉，用刀刮骨，刮得窸窣有聲，旁邊的人都嚇得不敢看，關羽仍舊飲酒吃肉，談笑下棋，臉上沒有一點痛苦的表情。不久血流了滿滿一盆，華佗敷上藥，縫好線，關公站起來大笑，繼續飲酒作樂。

這段記載雖嫌誇大，卻也表現了關羽的勇敢，但關羽爲人過於高傲，不善權謀，當他守荊州時，魯肅三番兩次想爲吳國和蜀國拉線互結盟好，關羽總是不理不睬。

不久，孫權派人向關羽提親，想娶關羽的女兒當媳婦，關羽不答應也就算了，他竟然怒眼圓睜，推開桌子大罵道：『我的女兒是虎女怎麼可以配犬子？』把使者轟出門外，孫權碰了一鼻子的灰，氣得要命，從此吳蜀關係破裂，也壞了諸葛亮想聯吳制魏（曹操）的大計。

以後，關羽被吳國的大將呂蒙打敗遇害。綜觀關羽的一生，並沒有建立什麼赫赫偉業，爲什麼中國人如此崇拜關公，處處建有關帝廟呢？因爲關公固守原則，忠心耿耿，不爲利誘，『富貴不能淫』，代表中國人的重義氣。

閱讀心得

閱讀心得

閱讀心得

歷代・西元對照表

朝　　代	起迄時間
五帝	西元前2698年～西元前2184年
夏	西元前2183年～西元前1752年
商	西元前1751年～西元前1123年
西周	西元前1122年～西元前 771年
春秋戰國(東周)	西元前 770年～西元前 222年
秦	西元前 221年～西元前 207年
西漢	西元前 206年～西元 8年
新	西元 9年～西元 24年
東漢	西元 25年～西元 219年
魏(三國)	西元 220年～西元 264元
晉	西元 265年～西元 419年
南北朝	西元 420年～西元 588年
隋	西元 589年～西元 617年
唐	西元 618年～西元 906年
五代	西元 907年～西元 959年
北宋	西元 960年～西元 1126年
南宋	西元 1127年～西元 1276年
元	西元 1277年～西元 1367年
明	西元 1368年～西元 1643年
清	西元 1644年～西元 1911年
中華民國	西元 1912年

國家圖書館出版品預行編目資料

全新吳姐姐講歷史故事. 5. 三國/吳涵碧 著.
--初版.--臺北市；皇冠，1995〔民84〕
面；公分（皇冠叢書；第2471種）
ISBN 978-957-33-1215-4 （平裝）
1. 中國歷史

610.9　　84006874

皇冠叢書第2471種
第五集【三國】
全新吳姐姐講歷史故事〔注音本〕

作　　者—吳涵碧
繪　　圖—劉建志
發 行 人—平雲
出版發行—皇冠文化出版有限公司
台北市敦化北路120巷50號
電話◎02-27168888
郵撥帳號◎15261516號
皇冠出版社(香港)有限公司
香港銅鑼灣道180號百樂商業中心
19字樓1903室
電話◎2529-1778　傳真◎2527-0904
印　　務—林佳燕
校　　對—皇冠校對組
著作完成日期—1992年01月01日
香港發行日期—1995年09月25日
初版一刷日期—1995年10月01日
初版二十九刷日期—2021年05月
法律顧問—王惠光律師

讀者服務傳真專線◎02-27150507
電腦編號◎350005
ISBN◎978-957-33-1215-4
Printed in Taiwan
本書定價◎新台幣150元/港幣45元